An chéad chló 1999
© Seán Mac Mathúna
Foilsithe ag Cois Life Teoranta

ISBN   1 901176 14 4

C000148856

Ban

Dearadh clúdaigh: Eoin Stephens
Clóbhualadh: Criterion Press

Faigheann Cois Life cúnamh ón gComhairle Ealaíon

Banana

Seán Mac Mathúna

Cois Life Teoranta
Baile Átha Cliath

Clár na nGearrscéalta

Triúrmhilleadh

Stop sí ag doras an Golf GTi, an ionga dhaite ar an eochair agus d'fhéach sí timpeall ar an áit – na claíocha máguaird ag rith ó fhaiche bhearrtha go faiche bhearrtha – agus bladhm bhándearg na gcrann silíní ag urú ghalántacht na dtithe laistiar. Bhí an mhaidin nach mór caite agus d'éist sí le ceol na n-éan agus thuig sí gur cumadh an ceol sin i gcomhair na comharsanachta seo amháin. In aon áit eile bheadh sé as gléas. D'fhéach sí ar ghlanachar na bhfuinneog *bay* taobh léi – ní raibh ach ainm amháin ar an nglanachar sin, Carraig an tSionnaigh! Thuig gach rud an téama galánta seo ach na scamaill a raid scáthanna nós-cuma-liom leis na simnéithe. Ar chuma éigin thuig sí gur dise amháin a bhí an féar ag glasadh. In ainneoin an amhrais. Mar nach raibh sí sé bliana is tríocha? Agus an fiántas ag tréigean a croí.

Thug an Golf amach ar bhóthar mór Stigh Lorcáin í, gur neadaigh isteach in imeall an tráchta. Shocraigh dordán na gcarr a haigne d'aoibhneas na maidine is don sceideal a bhí roimpi an lá sin. Faic, dáiríre. Ó, an litir le seachadadh i Sráid Bhagóid chuig cuntasóir Roger, a fear céile. Ghabh freang tríthi nuair a chuimhnigh sí ar na bréaga a bhí sa cháipéis úd. Is mairg don té a bheadh macánta in Éirinn, níorbh fhada go gcuirfí le falla é. Agus cén fhaid a sheasfadh comhlacht Roger, allmhaireoirí earraí leathair? An chiontacht faoi deara di a cos a bhrú síos agus an carr a chur ag preabadh ar aghaidh. Ní raibh sí chun ligean d'aon drochsmaoineamh cur as don . . . Mar Dé hAoine a bhí ann, sea, ár ndlúth-Aoine dhil, a fhógraíonn buille déanach na seachtaine is do sheansanna ina dhiaidh sin. Bean ba ea an Aoine, sea, bandia na hainmheasarthachta; muc ag screadaíl faoi gheata a bhí sa Luan.

Stop soilse Dhroichead na Dothra í. Sea, rachadh sí go Superquinn ar an gCarraig Dhubh i ndiaidh an chuntasóra chun an *fillet* a cheannach don *Beef Wellington*. Bhí sé daor ach bhí sé fuirist é a ullmhú. Bhí an fíon faighte cheana féin aici, dearg trom géar do Werner, dearg cneasta do Christa, a bhean. Bhí an bheirt acu chucu anocht i gcomhair an dinnéir, iad in Éirinn ar ghnó leathair. Ba chuma léi féin faoin bhfíon mar go raibh a fhios aici go gcuirfeadh sí bearna sa Remy Martin i ndiaidh an bhéile, i dteannta Roger. Rinne sí miongháire nuair a chuimhnigh sí ar an tógáil chroí a thabharfadh an branda di. An raibh baol ann go raibh sí ag éirí rócheanúil air? Fastaím! Ní raibh ná baol air, ní raibh ann ach cúpla deoch.

Bus briste ar Bhóthar Northumberland, an tranglam ag éalú thairis. Thosaigh a méara ag seinnt ar an roth. D'fhéach sí ar na hingne daite ag damhsa – dubh dearg, dathanna a d'oir dá pearsa, mheas sí. Cé acu gné? Ó, n'fheadar. D'fhéach sí sa scáthán ar an ngruaig a bhí ar dhath an fhéich, an béal, is na súile ag teacht leis dá réir. Bhí sí an-tógtha lena haghaidh, go mór mór lena súile, ní hea, ní hea, lena béal, sea, a béal, nach raibh sé ráite ag daoine go raibh béal Jane Fonda aici? An liopa uachtair ina stua sa chaoi go raibh an béal pas beag ar oscailt i gcónaí, nó na liopaí scartha, ó bhí sé gnéasach, dar le daoine, mise á rá leat. Chuir sí gothaí póige uirthi féin is scrúdaigh sí an toradh sa scáthán.

Go tobann ba bheag nár tógadh den suíochán í leis an nglam adhairce a scaoileadh laistiar di. Phreab sí as slí an leoraí go tapaidh is d'éalaigh léi. Is ea, thug Roger gean mór don bhéal sin. Ní hamháin gur thug sé gean dá béal, bhí an chuid eile di ann, bhí gan amhras. Chuir an smaoineamh sin í ag cuimhneamh ar an ngúna a bhí aici i gcomhair na hócáide anocht, a éadroime a bhí sé, na cuair, a bhoige, a theannas ar a ceathrúna, a fhairsinge ina com, scaoilteacht ina brollach, féile ina muineál. Chosain sé £360 i mBrown Thomas. Agus nuair a d'inis sí do Roger é, níor bhéic sé. Dúirt sé gurbh fhiú é agus gur chuid dá phlean é. Ba é plean é ná gabháil lastuas de gach éinne i ngustal. Bhí cuid den phlean tugtha i gcrích cheana féin aige, an luamh, an gnó, an BMW, an bhallraíocht i ngach club gradamúil sa chathair. Ba é a shoiscéal ná nach raibh ag duine tar éis an tsaoil, ach a raibh aige de nithe. Sea, nithe! Agus ní raibh sé chun ligean d'aon rud cur isteach ar an bplean sin.

Agus cad a chaithfeadh Christa anocht? Síóg ba ea Christa a d'fhéadfadh síoda a dhéanamh de chótaí *Jack the Tayman* ach iad a chaitheamh. An uair dheireanach san Iodáil dóibh ba gheall le fógra do Gucci í. Ach, ambaist, dhíolfadh gúna Brown Thomas an comhar léi anocht. Ach ní thabharfadh na fir faoi deara é. Ach thabharfadh Christa. Mo ghraidhin iad na mná, ar sise os íseal. Tar éis cúpla soicind − agus mo ghraidhin iad na fir chomh maith.

Bhog an trácht chun siúil is thug sé isteach go Sráid an Mhóta í, ansin suas agus pháirceáil in aice an Pepper Cannister. Thug sí léi an clúdach is bhain Sráid Bhagóid amach. Cheana féin bhí lucht na n-oifigí ag brú amach ar an tsráid i gcomhair lóin, idir chailíní is fir; saoirse, ocras is aoibhneas ina bhféachaint. Bhí an mheanma seo tógálach mar bhraith sí lúth thar an gcoitiantacht ina coisíocht, an mheanma úd nuair a bhéarfadh sé ort a bhainfeadh cúig bliana de d'anam. B'in é an uair a ghreamaigh a bróg chlé i ngriolla iarainn sa chosán. Bróga nua ba ea iad a bhí á gcaitheamh aici chun go dtabharfadh na cosa abhaile iad i gcomhair na hoíche anocht. D'éirigh léi an tsáil a scaoileadh gan aon mháchail a chur air. B'in é an uair a thug sí an duine thíos fúithi faoi deara, hata buí innealtóra air, é ag obair ar phíobáin de shórt éigin. D'fhéach sé suas uirthi is chonaic sí an aghaidh. Ní raibh ann ach soicind ach ba leor é, mar d'éalaigh sí léi go tapaidh, gach anáil á tarraingt go réidh aici chun ná tachtfadh sí í féin.

Tar éis an clúdach a sheachadadh stop sí ag bun na gcéimeanna agus dhein sí slógadh ar a raibh de mheabhair aici nó d'imeodh sé ó smacht. Ní fhéadfadh an ceart a bheith aici, b'in seacht mbliana déag ó shin. Ach bhí an ceart aici – mar go n-aithneodh sí an aghaidh sin beirthe i bpraisigh.

Ghluais sí ar ais go mall go dtí an griolla, í idir dhá chomhairle. Bhí leoithne the tríd an ngriolla aníos agus d'ardaigh sé a sciorta óna glúine amach. Seans gurbh é scáth an sciorta a bhí ag bogadh taobh leis a chonaic sé, mar thóg sé a cheann is d'fhéach sé suas uirthi. Ghliúc sé i gcoinne na gréine, ansin chuir sé a bhos os cionn a radhairc. Stán sé uirthi. Stánadar ar a chéile. Chuardaigh sí a ceannaithe ag iarraidh na seanchúinní a aimsiú. Is é a bhí ann.

'Haló!' ar seisean. Guth clúmhach, tobacúil. Is é a bhí aici. Bhí sí sásta mar anois ní bheadh sí ciaptha ag an amhras. 'Sea, tá an 'mission' i gcrích, bailigh leat.'

Ach ní ghéilleann fiosracht don loighic.

'Ní hé do mhalairt atá ann?'

'Tá aithne agat orm?'

'Tá, Giorgio.' Dhruid sé na malaí le chéile is ghliúc sé arís uirthi.

'Tá an buntáiste agat orm, a chailín, mar is cinnte nár bhuaileas riamh leat. Ní dhearmadfainn aghaidh mar sin.'

An moladh é seo? D'fhéadfadh gurbh ea. Is minic bean

níos áille sna tríochaidí ná ag a fiche. Sea, athraíonn na mná, eisean chomh maith; cén aois a bheadh sé anois, daichead a naoi?

'An bhfuil tú cinnte nach n-aithníonn tú mé. Féach mar seo orm', is thaispeáin sí a *profile* dó. Súgradh an chait a bhí ar siúl aici. Chroith sé a cheann. 'Fiú amháin, mo ghuth, Giorgio, nach cuimhin leat mo ghuth agus tuin an Chláir air? Ciao, Georgio! Ní cuimhin?' Bhí an fear thíos ag baint taitnimh as seo chomh maith. 'Fan go fóill, más ea, a Giorgio,' agus dhein sí a haghaidh a fhrámú lena cuid gruaige, 'mar seo a bhí mo chuid gruaige an t-am úd.' Ní raibh ann ach súgradh a raibh blaisín den dáiríre air.

'An gcaitheann tú na Camels i gcónaí?' Bhain seo smuta den ghreann de, mar thóg sé paicéad Camels as póca a bhrollaigh is las ceann. Choimeád sé an deatach ina scamhóga fad a dhein sé an scéal a mheas.

'Cé thusa?' Scaird sé an deatach tanaithe ina treo, agus ansin dhá dhubhán deataigh as a pholláirí á thionlacan. Rud a bhí gnéasach go maith. Mar sin féin bhí Giorgio dulta in aois agus ní raibh cuma na maitheasa in aon chor air. Scrúdaigh sí a chuid éadaigh, na lámha, an aghaidh a bhí faighte fiáin, méirscreach. Bhí cuma sceirdiúil tagtha air. I gcoinne a tola bhraith sí trua dó. Tar éis an tsaoil níor chreid sí riamh i ndíoltas agus an rud seo a bhí eatarthu nach fadó riamh a thit sé amach.

'Ar scríobh tú na drámaí úd?'

Chaith sé tamall ag féachaint uirthi, na malaí druidte le chéile le teann machnaimh. D'aithnigh sí ar an gceisteacht nach raibh tuairim aige – bhí an oiread sin bréag inste do chailíní aige. Go tobann – inspioráid!

'A, drámaí! Sea, tá an ceart agat, drámaí, cinnte. Scríobhas drámaí, ó dhe gan amhras, drámaí!'

Scrúdaigh sí a aghaidh. 'Sea, agus ar léiríodh na drámaí seo?'

'Sea, léiríodh, ach níor léiríodh sa Róimh iad. An dtuigeann tú, tá mo chuid oibre trialach. Dá bhrí sin is iad na hamharclanna trialacha amháin a thógann iad, á, á, Campobasso, Avellino, Beneventa .....' Ba bheag nár chuaigh a ghuth in éag ar fad ag deireadh an liosta.

'Sea agus Gloccamorra' – ar sise. Ní fhéadfadh sí í féin a stopadh. Chroith sí a ceann ar an ngriolla. 'Agus anseo?'

D'fhéach sé timpeall ag lorg leathscéil a dhéanfadh cosaint ar a mhóráil. 'Eispéireas! Táim anseo i gcomhair eispéiris!' Gháir sé go buacach. Tháinig oibrí eile isteach faoin ngriolla.

'Giorgio, cá bhfuil an *fuckin'* rínse a thugas duit ó chianaibh? Nach bhfuil an píobán táite fós agat?' agus d'imigh sé arís. Gháir Giorgio,

'Baineann míbhuntáistí áirithe le heispéireas uaireanta.' Gháir sé arís. 'Cén t-ainm atá ort?'

Bhí sí ar tí imeacht ach bhí sí meallta ag an scéal faoin ngriolla. 'Joan. Joan Mulchinock. Ní bheifeá sásta gan 'a' a chur leis agus Joana a dhéanamh de.'

'A! Deinim é sin le hainmneacha ban go rialta.' Go rialta! Eileena, Caitlina, Brigida, Siobhána. Bhí an ghráin úd ag teacht chuici arís, gráin a bhí folaithe le seacht mbliana déag. An t-eagla a bhí uirthi ná go mbrisfeadh an ghráin an chréacht. Cá mbeadh sí ansin? Dhún sí na súile chun nach gcuimhneodh sí air. Níor oscail sí arís iad gur bhraith sí an séideán te ar na glúine. Bhí a gúna ina sheol agus ba chnheasta é an teas ar a ceathrúna. Chonaic an fear thíos é freisin agus ghreamaigh an fhéachaint ar na glúine is as sin suas – spléachadh mear ar mhása blasta bándearga ag síneadh suas go lása uaithne na buaice. Bhraith sí a shúile mar oighear ar snámh ar a craiceann. A shúile ar aon rithim le titim is éirí a sciorta. Ach fós níor chúlaigh sí – rud nár thuig sí. Chonaic sí airc na súl, é ag fliuchadh a bhéil, ag féachaint ina thimpeall mar a bheadh muc ar tí na prátaí a chreachadh. Mura bhfliuchann sé an béal arís cuirfidh mé cúig phunt i mbosca na mbocht. Níor fhliuch. Dhein sé rud ní ba mheasa.

'Joan? Féach ós rud é go bhfuil aithne againn ar a chéile, nár cheart dúinn an scéal a chomóradh – is é sin bualadh le chéile – níos déanaí – b'fhéidir?' A leithéid d'éadan, bhí sé chun é a dhéanamh arís, í a dhearmad an dara huair.

'Tá a fhios agat, tá cónaí orm, sa chomharsanacht, tá – a – árasán agam.'

Árasán! Seomraín faoin slinn nó thíos faoin tsráid, boladh *curry* ar fud an bhaill, boladh fuar éadaí gan ní, dorcha, gan teas, *print* amháin le Picasso – cultúr. Buidéal Chianti agus coinneal sáite ann – atmaisféar. Buidéil fholmha Valpolicella, leabhair ar 'Conas drámaí a scríobh' agus 'Gearrchúrsa Fealsúnachta'. An ceann deireanach ina *aphrodisiac* do chailíní óga, mo léir! Agus an *pièce de résistance*, an leaba sa chúinne, braillíní in aimhréidh, an aimhréidh úd a thógann beirt chun é a dhéanamh, boladh a hallais fós ag meascadh le lán an luaithreadáin de Camels.

'Níl sé ach timpeall an chúinne.'

D'fhéach sí ar an aghaidh, sea, bhí cúig phunt spáráilte aici. B'ait léi anois mar a bhraith sí, mar bhí maite aici dó na blianta ó shin, ach ar chuma éigin chuir an craos a sheas anois ar a shúile ar maitheadh dó ar ceal. Díreach agus í ar tí a cúl a thabhairt leis phrioc an nimh í. Chuir sí liú gáire aisti.

'Giorgio, an bhfuil a fhios agat go rabhamar le chéile ar

feadh seachtaine, beagnach gach oíche den tseachtain, an cuimhin leat?' Ba dheacair dó an cheist seo a láimhseáil agus idirbheartaíocht aclaí ar siúl aige, b'fhéidir nárbh fhearrde é an fhírinne.

'Sea, sea, is cuimhin liom anois, sea, táim beagnach cinnte.'

'Agus, a Giorgio, an cuimhin leat go rabhas éirithe simplí, bhíos chomh mór sin i ngrá leat?' Rinne sé machnamh air seo. Dar leis, tharlódh a leithéid.

'Sea, is cuimhin liom go maith.'

'Agus an cuimhin leat gur fhágais go tobann mé, gan choinne ar an seachtú lá?'

D'fhéach sé go cliathánach uirthi, iarracht den chosaint ar a aghaidh. Níor thaitin an casadh seo leis. Níor fhreagair sé.

'B'fhéidir' ar sise, 'gur tharla tubaiste éigin i do shaol – do Mhama? Na drámaí?' Leath sé na lámha ó chéile.

'Tharlódh gur rud mar sin a tharla. Ní nós liom rud mar sin a dhéanamh.'

'Tuigim sin, a Giorgio, tá tú dílis. Bhuel, is cuma. An raibh a fhios agat gur chaitheas mí i m'óinseach ag sodar ar fud na cathrach ag fiafraí, "gabh mo leithscéal, ach an bhfuil aithne agat ar Giorgio Santini?" "Cé hé?" "Giorgio Santini!"'

Níor dhein sé ach searradh a bhaint as na guaillí.

'Agus an raibh a fhios agat, a Giorgio, go bhfuaireas amach tamall gairid ina dhiaidh gur fhágais ag iompar do linbh mé?'

Bhain seo siar as. D'imigh an airc as na súile. An raibh an scéal ag dul ina choinne? Bhuail sé a lámh faoina smig is d'fhéach sé go cliathánach uirthi.

'An bhfuil tú cinnte – ní – ní nós liom é sin a dhéanamh.'

Is ar éigean a bhrúigh sí an gáire fúithi, nuair a chuala sí an 'ní nós liom'.

'Ó, gabh mo leithscéal, a Giorgio, táim ag cur as duit, ná bí buartha – tharlódh sé d'easpag, níl aon mhilleán ort.'

Chuir sé seo cruth ar an scéal. Bhí an ceart aici, ní raibh aon mhilleán air – nach rud nádúrtha é?

'Sea, cad a tharla?' ar seisean.

'B'éigean dom dul go Londain, eagla a bhí orm go bhfaighfí amach mar gheall orm anseo. B'in é an chuid ba mheasa den scéal, an feitheamh fada thall ar chosa laga, sheasfainn é sin, ach an ghualainn mhaol, chuir sin síos mé.'

Bhuail sé a cheann faoi, bhí a thuilleadh drochscéala á chloisint aige, a bheol íochtair ina liobair le míchéatacht. Thóg sé a cheann is labhair sé go borb.

'Sea, bain an ceann den scéal, chuais go Londain, fuairis ginmhilleadh, tá sé thart, cad é an gearán atá agat?'

Thit uirlis as a lámh, chrom sé is thóg sé arís é, chas sé uaithi is thosaigh sé ag obair ar na píobáin. Thuig an bhean go raibh deireadh leis an gcomhrá; ach ní shásódh sin an nimh, ní shásódh in aon chor.

'Níor mhilleas é!'

Thóg an fear a cheann arís. Leis sin shéid an leoithne suas tríd an ngriolla is d'ardaigh an gúna athuair. D'fhás a spéis inti, lasadh na soilse ina shúile, tháinig bogadh ar a bhéal. Thuig sí anois go raibh Dia ann.

'Saolaíodh do leanbh!'

Ní raibh coinne aige leis seo ach bhí a dhóthain drochscéala cloiste aige.

'Sea, chuiris do leanbh amach ar altramas, cad mar gheall air?'

D'fhás tost eatarthu a raibh colg air.

'Níor ligeas ar altramas é. Thógas féin é.'

Bhíog sé, ansin d'fhéach sé síos ar an talamh fad a dhein sé an píosa eolais seo a mheas. D'aithin an bhean na gothaí seo – bhraith sé teanntaithe.

'Dhera, ná bíodh ceist ort, ní gá duit aon bhuaireamh a bheith ort. Nílim ag lorg aon rud ort. Nach bhfuil a fhios agat go bhfuilimse saibhir, teach mór agam i Ráth Garbh. Mé féin agus Seoirse an-chompordach le chéile.'

'Seoirse?'

'Sea, Seoirse! Sin í an Ghaeilge ar Giorgio.'

Chaith sé tamall ag cuimhneamh ar an eolas seo – í saibhir neamhspleách, a háit féin aici, a mhac aici, Giorgio mar ainm air. Thóg sé a cheann. Chonaic sí an t-iontas ar a shúile. Bhí sé faoi smacht arís aici.

'Go raibh maith agat, táim faoi chomaoin agat as Sé-ór-sé a thabhairt air.'

'Tá fáilte romhat.'

'Bhfuil sé – mór? Ard?'

'Ó tá sé ard, an-ard do pháiste seacht mbliana déag.'

'An bhfuil dealramh aige leatsa?'

'Níl, ní leanann sé mise in aon chor – is Santini amach is amach é – níl aon oidhre ort ach é.'

Bhí sé chomh sásta leis seo gur leag sé uaidh an píobán is thóg Camel amach is las é.

'An bhfuil a fhios agat, a Joan, gurb é seo an scéal is fearr a chuala riamh. Mac agam, Giorgio mar ainm air, dealramh aige liom, agus é ina steillebheatha anseo i mBaile Átha Cliath. Thar a bhfaca tú riamh. Agus máthair den scoth aige. Nach air atá an t-ádh. An dtuigeann tú Joan, níor phósas riamh.' D'fhéach sé ina thimpeall. 'Níor oibrigh cúrsaí amach mar a cheapas.' Díreach ag an nóiméad sin tháinig an t-oibrí eile isteach.

'A Íosa Críost, a Giorgio, tóg an píobán i do lámh arís. Tá an oíle ar fad ag rith isteach chugainne. An lá á chur amú agat le mná mar is gnáth.'

Nuair a bhí sé imithe lig Giorgio sceamh as, chaith sé seilí focal leis an bpíobán.

'Daoscar is gramaisc is grathain na láibe, is scríbhneoir mé, is péintéir mé, is ceoltóir mé, ach bíonn orm mo shaol a chaitheamh leo seo.'

'An bhfuil sé dian?'

Bhain sé tamall sular thug sé freagra uirthi. 'An geimhreadh is measa.' Tháinig cuma ghruama air.

'Ná bac,' ar sise, 'cuimhnigh ar do mhac.'

Bhíog sé arís, ghluais gathanna solais as a shúile. 'Tá an ceart ar fad agat. An bhfuil sé ealaíonta ar mo nós féin?'

'Ealaíonta? Dhera, lig dhom, a Giorgio, nár bhuaigh sé Duais Texaco "Óg-Ealaíontóir na Bliana" anuraidh!'

'Ar dhein? Féach air sin, Giorgio, péintéir, cosúil le do dhaid. An bhfuil ceol aige. Níl?'

'Ceol. An bhfuil tú ag magadh fúm? Nach *prodigy* é? Nár cheannaíos pianó speisialta dó – Steinberg, Steinman.'

'Sea, Steinway.'

'Dochreidte, tá sé seo dochreidte, an bhfuil a fhios agat, mo mhacsa ina phéintéir, ina cheoltóir, é ina chónaí i bpálás. Cé déarfadh é. Ach, ach, tá tú pósta, nach bhfuil?

'Mise, ó níl mé pósta. Conas a d'fhéadfainn pósadh agus Seoirse agam. Ní ligfinn aon fhear in aice leis ach an fear ceart, a Giorgio, an fear a thabharfadh grá dó.'

'Sea, ach nuair a fhiafraíonn sé díot cá bhfuil Daidí, cad deir tú?'

Thug sí faoi deara go raibh craos agus airc de shaghas eile anois ar a shúile, agus móráil chomh maith. Thuig sí go raibh sí tar éis an dallóg a ardú agus gairdín na rós a thaispeáint dó rud a thug misneach agus dóchas dó. Ach an airc a d'fhan ina shúile, ba airc é a bhí préamhaithe i ngrá, ach i ngrá nár bhraith an fear seo riamh cheana agus ba láidre anois an grá nua seo ná aon ghrá ban. Níor leis féin a mheabhair a thuilleadh, ba le buachaill seacht mbliana déag é.

'Ó, nuair a fhiafraíonn sé díom cá bhfuil a dhaidí deirim go bhfuil tú i do phríosúnach cogaidh sa Rúis – creideann sé é. Tá do phictiúr aige – an cuimhin leat, an ceann a tógadh is tú i mBerlin?' Tháinig iontas air.

'Berlin! Is cuimhin!'

'Thugais dom é, tá sé ar an bhfalla aige ina sheomra.'

D'fhéach sí ar an aghaidh arís. Bhí draíocht an mhic dulta i gcion air i ndáiríre. An grá a bhíonn ag duine dá mhac is measa agus is treise é ná aon saghas eile grá. Mar cuma cad a tharlaíonn ní athróidh sé. Nach ait an rud corp fir, cúpla focal agus athraíonn an cheimic ar fad é.

'A, Joan, tuigeann tú go bhfuil sé tábhachtach go mbeidh seans agam bualadh lem mhac.'

'Ní thuigim.'

Bhain an freagra simplí siar as.

'Gabh mo leithscéal, cad dúirt tú?'

'Níl cead agat é a fheiceáil.'

Tháinig cuma bhreoite air amhail is dá mbeadh sé i bpéin.

'Níl cead agam tar éis a bhfuil ráite agat liom.' Bhí iarracht den éagaoin san abairt.

'Níl.'

'Cén fáth?'

Thomhais sí an duine seo fúithi lena súile, ansin labhair sí chomh mall sollúnta is a bhí inti.

'Mar seacht mbliana déag ó shin thugais leanbh dom a dhein praiseach de mo shaol, tugaim ar ais anois duit é is gurb amhlaidh duit.' Lasc sí na focail isteach ina aghaidh. Thóg sé coiscéim siar is sheas ansin amhail is a bhí duine tar éis é a chiceáil sna magairlí.

'Mo mhac, lig dom é a fheiceáil, uair amháin.'

'Ní ligfead.'

Tháinig lasair nua isteach ina shúile, d'fhéach sé ina thimpeall.

'Ní féidir leat mé a stopadh – feicfidh mé é agus feicfidh mé inniu é. A Mhaidhc, tar amach anseo go fóill agus beir air seo. Brostaigh!'

Léim a croí nuair a thuig sí go raibh sé chun í a leanúint. Chas sí is d'imigh de rás trasna na sráide. Agus í ag imeacht chuala sí é ag béiceadh, 'A Mhaidhc.'

Agus í ag déanamh ar an ngluaisteán ar a dícheall chaill sí bróg. In ionad stopadh chaith sí uaithi an ceann eile is lean uirthi. Bhain sí amach an gluaisteán, léim isteach is bhailigh léi Sráid Holles síos. Stop sí lasmuigh de Kitty O'Shea's is tharraing a hanáil. An rud a scanraigh í ná go dtiocfadh sé ina diaidh is go bhfaigheadh sé uimhir an ghluaisteáin. Ansin chloisfeadh Roger faoin scéal ar fad. D'fhéach sí timpeall uirthi. Níorbh í an chathair chéanna a thuilleadh í, bhí an t-aoibhneas úd teite agus gan ann ina dhiaidh mar mhalairt ach cruas lom coincréite. Bhí sé léite aici in áit éigin gur mairg don té a bhaineann díoltas amach mar gur minic a éilíonn an díoltas céanna éiric níos measa.

Thosaigh sí an gluaisteán is d'éalaigh léi isteach sa trácht. Conas a thabharfadh sí aghaidh ar Charraig an tSionnaigh anois? Cad a dhéanfadh sí ann? An *Waterford Glass* a shnasú, an troscán a aistriú timpeall. Ní raibh aici ach nithe, scéal cam uirthi, nithe. Bhí an scéal ag dul sa mhuileann uirthi, chaithfeadh sí cuimhneamh ar rud éigin, aon rud, an sceideal a bhí roimpi go dtí an Cháisc! An Cháisc! Is ansin a chuimhnigh sí air. Ina broinn a bhraith sí é, folús a bhí ag at. Bheadh sé sé bliana déag ar an gCáisc seo chugainn. Nó bheadh sí. Thuig sí anois nach ginmhilleadh a bhí ann in aon chor ach triúrmhilleadh!

Leaca an Tí Mhóir

D'fheicimís uainn a gcuid páirceanna, ina 'lawns', is beithígh de chuid an ghabhairmint *bull* ag iníor go socair iontu. Uaireanta d'fheicidís na gabhair is na caoirigh seo againne ar an gcnoc. Chloisimís i gcónaí a gcuid Béarla. Annamh a chloisidís siúd ár gcuidne Béarla. Ach ar scoil. 'There voss many grasses in the field for the cow to be et.' Ba bheag nár thit Micí Thaidhg, an múinteoir, den chathaoir le gáire.

'Jaysus, Leary, you'll be the death of me,' ar seisean. Ní fhéadaimísne ó Ghleann Easna aon lámh a dhéanamh ar 'Z' an Bhéarla. 'Sip' a bhí ar mo chasóg, agus, dá bharr sin, bhíos 'lasy' agus 'crasy'. Maidir le focail dar tús *wh* – *fot, fy, fwere, fwin, fot for, black and fite* – bhíomar inár seó bóthair acu. 'Fotters' Ghleann Easna a thugtaí orainn.

Dá bhíthin sin bhíos fiáin chun an Béarla a fhoghlaim. Agus an lá a chonac *The American Treasure Annual* ag Teddy Connor ar scoil, shantaíos é – ar dtús ar son an Bhéarla. Bhí crothán Béarla sa bhaile againn, ar ócáidí speisialta, ach thuigeamar nach raibh ann ach plobarnach leitean. Maidin amháin ghlaoigh mo mháthair ar Mháire a bhí ag ullmhú an bhricfeasta:

'Put deown a negg for Seán, for Seán's goin to Meiriceá.' Seán, an deartháir ba shine, d'fhreagair sé ón leaba sa lochta: 'Put deown neo negg for Seán, for Seán's goin to neo Meiriceá nor South Nafrica naythur.'

Shantaíos an Béarla, shantaíos an *annual*, shantaíos an long.

Bhíodh sé ar scoil aige gach aon lá, scata againn bailithe timpeall air am lóin.

'Go back to Dick Tracey,' a deirimís leis. Bhí Teddy breá sásta buíochas an tslua a bheith á tharrac aige, mar cé go raibh sé deas mar dhuine, ní raibh an gliocas ná an diabhlaíocht ann a dhéanfadh laoch de. De réir a chéile d'fhás an *annual* ina ainmhian dosmachtaithe ionam. Agus mé ag sá i gcoinne an aird ón scoil, smaoineoinn ar Superman, agus ar Dick Tracey, a raibh smig chearnógach fhearúil aige; ar éigean a d'fhan aon smig ag m'athair. Agus na mná, cuid acu leathnocht. Agus chuimhneoinn ar mhná an pharóiste agus ar mo mháthair – ní raibh iontu go léir ach scata sprideanna. Agus na dathanna. D'fhéachas im thimpeall; canathaobh nach bhféadfadh an gorm a bheith ina ghorm, an glas ina ghlas, an dearg ina dhearg, in ionad a bheith tréigthe mar éadaí tincéara. Shantaíos bándearg.

Ach ní thabharfadh Teddy uaidh é gan mhalartú, nó mhaíodh a athair, Mike Dan, é. Ach malartú ní raibh a am. Ní raibh de leabhair sa teach ach cóip de *Old Moore's Almanac*, cóip de Bhíobla Bhedel a léinn le dua ó am go chéile, agus 'the Book'. Ní fhéadfadh éinne 'the Book' a léamh, ná an teideal, *Good Husbandry*. Ach na pictiúirí, bhíodar feicthe is seanfheicthe againn: bulláin, tairbh, reithí agus muca, iad chomh ramhar le cocaí féir. Níor mhór talamh speisialta a bheith acu nó shuncálfaí iad. B'in a raibh de litríocht sa teach – rud a d'fhág mé gan aon chaitheamh aimsire ach Méirín.

Peata mionnáin ba ea Méirín, a bhí níos cliste is níos dílse domsa ná aon mhadra. Bhí Harry, an madra caorach, dulta in aois go mór is ba ghearr a théarma. Bhí poll bainte aige sa tuí a bhí sa scioból agus is ann a d'fhanadh sé, ag sméideadh amach ar laethanta deiridh a shaoil.

Chomh luath is a thagainn abhaile léimeadh Méirín ón ngeata anuas ar mo ghualainn, agus is ann a chaitheadh sé cuid mhaith den tráthnóna, gach *me-he* as. Bhí an-choinneáil ag na crúibíní aige. Léimfeadh sé is sheasfadh sé ar bhiorán. Chonac in áiteanna é ná coinneodh cat a ghreamanna ann. Bhí fáinne de bhuicéid bunoscionn san iothlann agam. Ba chleas le Méirín gabháil timpeall go tapaidh ó cheann go chéile go mbaineadh sé sórt scála ceoil astu. Ba dhána an t-éadan a bhí air, is ní raibh aon támáilteacht air dul isteach sa chistin ar an déirc, nó cantam aráin a ghoid ón mbord; ach bhí mo mháthair fabhrach leis, is níorbh fhearr léi scéal de ná an gabhairín a fheiscint i mbéal an dorais.

Lean Dick Tracey ag gabháil steallaidh ar m'aigne. Lean an tathant agam ar Teddy. Bhíos lántoilteanach bradaíocht a dhéanamh ar son an *annual* – cearc, lacha, gé, mála prátaí – ach ní éisteodh Teddy. Bhí rud éigin uaidh féin, dó féin.

Satharn amháin bhíos ar bharr an charn aoiligh, á mhaolú anuas le píce. Go tobann thiomáin gluaisteán isteach sa chlós. Mike Dan is Teddy a bhí ann. Rith mo dhaid amach chucu mar iontas ba ea an gluaisteán. Ritheas féin le náire uathu, a rá is gur rugadh orm cosnochta is cac go glúin orm. Thumas na cosa sa tobán is ritheas an raca tríd chuid gruaige sa chistin sarar thaispeánas mé féin dóibh. Bhí Teddy ansin is an *annual* faoina ascaill aige. Gheit mo chroí. An Nollaig a bhí ann is cá bhfios ná gurbh é sprid na Nollag a bhog chugam iad. Mike Dan ag caint le m'athair is gach drochfhéachaint aige mórthimpeall.

'Tá an t-aoileach sin millte agat lena bhfuil d'aiteann is raithneach tríd. Teacht an tsamhraidh, pléascfaidh na goirt le salachar.'

'Dhera, bíodh an diabhal ag na goirt, 'deile a dh'fhásadar riamh ach salachar.'

Lean an chaint. Sa deireadh labhair Mike Dan.

'The garsún wants a swap for his book, you know, something for something, a malairt, you know.'

'Malairt, malairt,' arsa m'athair, ag tochas a chluaise, is ag féachaint ar an gcarn aoiligh. Ag an bpointe sin thuirling Méirín ar mo ghualainn. Chonaic Teddy é. Anall leis chugam.

'Can he do that to me?' ar seisean.

'Dhera, he can,' arse mise, is bhuaileas cúpla buillín ar ghualainn Teddy is smeachas mo theanga. Thug Méirín léim neafaiseach is thuirling go cruinn ar ghualainn Teddy.

'Hey, Da, look at me, look at the goat.'

Phreab Méirín ar ais ormsa. Sall le Teddy go dtína athair is chuala an chogarnach. Labhair Mike Dan.

'He'll take the goat for a swap.'

Bhíos an-sásta: ní dheánfadh cúpla lá saoire aon dochar do Mhéirín.

'Sladmhargadh,' arsa m'athair. Rinneadh an malartú. Rugas barróg ar an leabhar ar eagla go mbainfí díom arís é. Agus Mike Dan ag imeacht, labhair sé as Gaeilge arís.

'Is fearr marcaíocht ar ghabhar ná coisíocht dá fheabhas,' ar seisean is gháir sé. Ghlanadar leo.

D'fhéach m'athair ina ndiaidh.

'An gcualaís cad dúirt an bathlach faoin aoileach? Maran b'olc an cac a bheadh rómhaith dó.'

D'fhéach sé an geata amach.

'Is dóigh leis na Connors gur dóibh féin amháin a ghlasann an féar.'

Chas sé is ghluais sé tharam. Stop sé is d'fhéach sé ar an leabhar.

'Ní thabharfainn cac gé mar mhalairt air,' is bhailigh sé leis.

Rugas liom an leabhar go dtí mo phluaisín sa lochta os cionn na mbó, is chromas ar a bheith á léamh. Bhí focail nár thuigeas, ach le cabhair na bpictiúirí chuas ina dtaithí. I lár na Nollag thiomáin an fuacht isteach cois na tine mé. Bhí m'athair beag beann ar an leabhar ar dtús, ach tar éis tamaill ní ligfeadh an fhiosracht dó gan spéis a chur sa rud. Thosaigh sé ag féachaint ar na pictiúirí, á moladh is á gcáineadh. Chabhraíos leis sa scéal.

Bhí sé glan i gcoinne Jesse James, ach Billy the Kid, b'in fear maith – an-*shot* aige, agus roinneadh sé a shlad ar na bochtáin. Ach diabhal as ifreann ba ea Dick Tracey, a raibh sluasaid mar smig air.

'Ní cheannóinn bó ná capall ó smig mar sin,' ar seisean.

Bhíodh mo mháthair cráite againn mar ná fágaimís an tinteán. Tháinig drochaimsir tar éis na Nollag, is sneachta suas go húll an dorais. Luíomar isteach i gceart ansin ar sheanchas an *annual*. Ní raibh Al Capone 'cneasta'. Bhí cloiste faoi na 'Dagos' aige ó Phoncánaigh an pharóiste – drochmheas aige orthu. Ní raibh aon díomá air nuair a chríochnaíomar an leabhar mar b'éigean tosú as an nua arís. Bhí an lándaiteacht ag imirt air. D'fhás muintearas idir mé féin agus m'athair an Nollaig sin, muintearas nár sháraigh éinne ó shin.

Lá Caille bhuaileas bóthar leis an leabhar. Bhí coscairt tagtha ar an sneachta, is mórthimpeall orm bhí sileadh, is na crainn ag ticeáil mar chloig – géim na habhann in imigéin.

'Tá an sneachta *alright* ach is fearr liom tuf-taf é ná ina phlub-phlab,' a deireadh m'athair. Ghluaiseas liom trasna na habhann ar na clocha a dtugaimís Snáthaidí na Gréine orthu. As go brách liom gur bhaineas an teach mór amach. Bhíos tnúthánach le Méirín a fheiceáil mar is cinnte gur bhraitheamar uainn a chéile.

Chrangas doras an tí mhóir, gur léim macalla pholl na litreach amach chugam. D'oscail Teddy an doras.

'Seo dhuit do leabhar, míle buíochas, Teddy, an dtabharfá Méirín amach chugam?'

Thóg sé an leabhar, ansin: 'Wait there a minute.'

Chuaigh sé isteach is d'fhill láithreach le Mike Dan. Thóg Mike an leabhar ó Teddy is thug dom é.

'The book is yours, by, you gave us a goat for it.' D'fhéachas ar Teddy. Ba leasc liom Béarla a labhairt.

'Twass a sfop,' arsa mise.

'Twas no swap,' arsa Mike; 'twas a goat for a book,' ar seisean go mursanta liom – thar mar ba ghá.

'Bring Méirín to me out,' arsa mise go stuacach.

'Méirín?' ar seisean le Teddy.

'The goat,' arsa Teddy.

D'fhéach Mike Dan orm agus é ag priocadh rud éigin as na fiacla.

'Leary, by, your goat is et, and that's all about it; take your book with you. Teidín, go in to your dinner.'

D'imigh Teddy.

'Sea, a gharsúin, prioc leat abhaile anois nó béarfaidh an oíche ort.'

D'fhanas mar a bheadh éan is goic air, mé ceangailte den talamh. Phléasc an fhearg aníos ionam.

'Cad ba ghá dhuit mo ghabhairín a ithe, a bhathlaigh?' D'úsáideas focal m'athar. D'fhéach Mike Dan timpeall mar dhea.

'There's no bathlach around here, nor a goat naythur, just a fotter from Gleann Easna. Mura dtugann tú na cosa leat láithreach, ar mo leabhar, go gcuirfead na gadhair ionat,' ar seisean, is phlab sé an doras i m'aghaidh.

Chasas is thugas faoin mbóthar abhaile. Thugas liom an leabhar, croí trom, agus íomhá. Im mheabhair d'fhan íomhá Mike Dan ag an doras ag priocadh na bhfiacla lena mhéir. Faingí fada fiacla iad mar a gheobhfá ar chapall, is ní fhéadfainn gan cuimhneamh ar na fiacla céanna ag mungailt mo Mhéirín. An t-aon ruidín sa saol a rabhas mór leis – agus mise an t-aon chosaint aige ar an saol. Is dhíolas é is chaitheas a chuid feola chuig na beithígh sin, na Connors. Ghéaraíos ar an gcoisíocht ar eagla go mbrisfeadh mo ghol orm. Nuair a thángas chomh fada le Snáthaidí na Gréine, sheasas ar an gcloch láir, is d'osclaíos an leabhar. D'fhéachas ar na pictiúirí.

Bhí sé ag gabháil ó sholas, is scáth na Snáthaidí ag scaradh leis an sruth.

D'fhéachas ar Dick Tracey: ní raibh aon oidhre air ach Mike Dan – na fiacla céanna. Níor thaise do Bhilly the Kid is do Mhugs Larkin é. Ní raibh iontu ach na Connors, gach diabhal duine acu, is teanga dhamanta na Connors á labhairt acu. Stracas Tracey le fíoch, agus Superman is iad go léir, is chaitheas san uisce iad. D'fhéachas ar na leathanaigh ag imeacht mar dhuilliúr ar bharr tuile. Is geal le croí dubh an ghráin. B'é díol an chomhair é, dá laghad é mar iarracht.

Chuireas an clúdach ag léimneach d'ucht na habhann gur ghreamaigh sé sna feileastraim.

Bhailíos liom. Focal faoi ní fhéadfainn a rá lem mhuintir nó bheadh sé ina chogadh dearg idir an dá chlann is mo mháthair ar buile chugam.

Bhaineas an teach amach. Pioc níor itheas ach d'fhan cois na tine im thost. Bhí m'athair suite trasna uaim is gan focal as. Sa deireadh d'éirigh sé is bhain searradh as, is labhair leis na frathacha.

'Is sleamhain iad leaca an tí mhóir,' ar seisean, is bhailigh leis a luí.

Aimsir

Buaileadh cnag ar an doras laistiar de. Oifigeach a bhí ann le litir dó. Bhí an seoladh mícheart arís, ar seisean le Crean, ní scoil é seo ach aonad oideolaíoch. Agus ní thugaimid príosún a thuilleadh air. Áisínteacht atá ann. Thóg sé an litir uaidh. Uaithi féin a bhí sé. D'aon ghnó a dheineadh sí é. D'fhéadfadh sé a haghaidh a shamhlú agus an focal 'príosún' á scríobh aici, an mhioscais ag brú gáire tríd na fiacla amach. D'oscail sé é. Ní raibh aon tásc ar a mhac ann. Ní bheadh. Chaith sé uaidh ar an mbord é.

'Beidh moill ar na mic léinn inniu,' agus leis sin bhí an t-oifigeach imithe.

'Cad a bheidh ar siúl inniu, Dan?' Culligan a bhí i mbéal an dorais. 'Cá bhfios ná go léifimís giota as dán?'

Bhí Culligan tar éis beirt a mharú, a bhean chéile is a athair i bpub lá. Canathaobh? Ag gáire fúm a bhíodar. Bhuel, a deireadh sé, tá deireadh le gáire acu anois, bí *fuckin* deimhin de sin, a mhic. Ní raibh ionga fágtha ar na méara aige, ná cara ach chomh beag – ag bagairt dochair ar gach éinne.

'Dán!' ar seisean, agus alltacht air. 'Ní bhainim le cacamas den sórt sin. Ó dhe, mo léir, dán, ní lú cac ná é, 'dtuigeann tú?'

'Tuigim, ceannín gairid, b'fhéidir,' agus níor lú le Crean cac ná é ach oiread.

Scrúdaigh Culligan aghaidh Chrean go ceann i bhfad féachaint an raibh iarracht den mhasla ann sara suífeadh sé síos. Chaith Crean cúpla leabhar as an mála, saothar Paddy Kavanagh ina measc. Dar le Crean bhí aon cheann déag de dhánta ag Kavanagh, dánta den scoth. Bhí sé deimhin de sin. Ba é an dála céanna ag gach file é – aon cheann déag.

Siúd arís í, an litir. D'ardaigh sí léi a raibh aige, tigh, troscán, an madra. Agus ó shin tormas síor uirthi; marbhfháisc uirthi; cá raibh a mhaicín geal, cá raibh Adrian? Aon tásc! Ní raibh uaidh ach é. Iasacht bheag lae nó cúpla uair an chloig. Agus é ag obair anseo in *shithouse* ceart! Is ea, cúpla uair an chloig de phóganna is é ina bhaclainn aige chun go ligfeadh sé déistean na bliana thairis. A leithéid de bhitseach mná! Agus bhuail sé buille dá bhróg ar na píopaí teasa a bhain preab as an aer.

'Há!' arsa Cooney ón doras, 'troscán de chuid an Roinn Dlí is Cirt, Dan, ní maith!' Shuigh an *embezzler* síos taobh le Culligan, ansin d'aistrigh sé uaidh siar go suíochán eile. Bhí Culligan maslaithe.

'An gceapann tú gur *fuckin* dall mé, a Chooney? D'aon ghnó a dheinis é sin! Mar is gnách leat! Ná fuil an ceart agam, Dan?'

'Ceart ar fad,' arsa Crean agus fonn air é féin a chaitheamh le fuinneog ach go rabhadar ar an talamh cheana – bothán *nissen*.

'Culligan,' arsa Cooney, 'mharaís péire. Nílim chun suí i dteannta éinne a mhairbh péire – ná tóg orm é.'

Ní raibh Cooney ina chuntasóir cáilithe riamh ach bhí an-tuiscint ar an ngnó aige – gliocas nádúrtha d'fhigiúirí is néatacht thar na bearta aige do na leabhair chuntais. Chuaigh milliún glan amú agus cuireadh an milleán ar mo dhuine. Ní bhfuarthas pingin riamh de, ach bhí léarscáil mhór den Eilvéis ina chillín aige. Sé bliana a gearradh air as gan leid a thabhairt is as a chlann a bheith 'ar maos in ollmhaitheas' mar a dúirt an breitheamh.

Rud a chruthaigh sé leis an grianghrafanna – a bhean, Nannia, is ea mhuis, gan aon bhréag, Nannia san *extension* i gCarraig an tSionnaigh, *lingerie* uirthi is na páistí mórthimpeall uirthi. Daoine a raibh tuiscint acu ar na nithe seo, dúirt gur sampla maith de *bad taste* é; ach formhór na gcimí, in éad a bhíodar. An gearán a bhí aige ná go mba shia sé bliana in Éirinn ná dhá bhliain déag san Astráil. 'Bhí sé an-simplí, an dtuigeann tú, *time dilation* a thugtar air. Bíonn sé in Star Trek go minic. Is é an focal céanna *aimsir* atá sa Ghaoluinn do am is do aeráid. Ceart agam, Dan?' Toradh air níor thug.

'Tá Frawley éirithe as mar scéal,' arsa Kinnear, an scafaire mór méith a líon an doras ó ursain go hursain. 'Níor thugais ach ceathair as deich ar an aiste dó, tá sé tuirseach den scéal.' Boscaí ciarsúr páipéir faoin dá ascaill aige. 'Abairse le Frawley focáil leis as mo radharc agus má mheasann tú gur botún cló é sin déarfaidh mé arís é, abair leis focáil leis uaim,' agus raid Crean na leabhair ar fud an bhoird.

'Tá sé in am agat a leithéid a rá leis,' arsa an chuid eile acu. Ba é seo an chéad uair a d'úsáid Crean an focal 'f' leis. Is dócha go leanfadh sé de anois ós rud é go raibh tús leis. Gach éinne a bhain leis an áit seo chuadar le droch-chaint fiú amháin an sagart. Tháinig Kinnear isteach agus gach suíochán á iniúchadh aige. Ar éigniú a bhí sé istigh. Cailíní scoile seacht mbliana déag d'aois, ach iad a bheith in éide scoile. Gach cúig bliana scaoilfí amach é ach dhéanfadh sé caol díreach ar éide scoile is seo ar ais gan mhoill é. Bheadh fuar agat fiafraí de canathaobh ná déanfadh banaltra nó rúnaí oifige an chúis. Éide scoile, a mhic. Mhaití an aisteacht seo dó ach scéal eile ba ea an síorghlanachar, boscaí ciarsúr páipéir i gcónaí aige, agus é an-bhuartha faoina shláinte – dhamnaigh sin é.

D'fhéach Crean athuair ar an litir. Bhí sé clóscríofa, cé dhéanfadh di é? Agus rud eile, stíl beagáinín proifisiúnta

air. An amhlaidh go raibh a fear nua ina dhlíodóir?
D'fhéach sé ar a uaireadóir, bhí sé róluath chun éalú 'ar
bhreoiteacht'.

Seo isteach Frawley in éineacht le O'Sullivan, an
t-iascaire. Bhailigh an t-iascaire siar chun giota tobac a
rolláil. Stad Frawley taobh le crinilín Crean agus gach
clamhsán as. 'Níor thugais ach ceathair dom, Dan, míle cac
air mar scéal ach b'fhiú cúig ar a laghad é.' Bhuail Crean
na lámha faoina ghiall is d'fhéach go cliathánach ar an
saol.

'Tabhair cúig don bh*fucker* nó beimid anseo go maidin!'
arsa Cooney. Shiúil Crean go dtí an fhuinneog is d'fhéach
tríd an ngeata siar. Ní raibh ach dath amháin ar an
tírdhreach, donn, éagsúlacht gach doinn, donn an mhadra
rua ar an bhféar feoite, is donn na bhProinsiasach ar an
bhfraoch, donn na gainimhe ar na clathacha is na
díoganna. Is os a gcionn scamaill deartha ag ailtirí an
phríosúin. Chas sé ar ais is chuir síos marc ar pháipéar
Frawley. 'Deich as deich, Bill,' ar seisean, 'gan aon bhotún,
focal ar fhocal as an gciclipéid.' Gáire ó chluais go cluais ar
Frawley is bhagair sé an aiste san aer os a chionn in airde.

'Bíodh a fhios agat, Dan, nach aon bhithiúnach comónta
mise ach *fence* den scoth agus an-tuairim agam den íomhá
phoiblí agam.' Agus bhí. An-tugtha do nithe déanta
d'airgead Seoirseach; trua nár lean sé leo mar scéal mar
gabhadh é de bharr pictiúir. 'Bhí sé chomh mór leis an
gclár dubh sin, mé i lár na sráide leis, le *fucker* éigin darbh
ainm Keating, seans ní raibh agam, a dhuine!' Bhris
Kinnear isteach ar an scéal, 'aon seans go bhféadfaimis
leanúint leis an ardteist? Táim scamhaite chun oideachais!'

'Tá tú scamhaite chun cailín scoile eile, a *bhollix!*' arsa
Culligan de scread. Níor lig Kinnear air gur chuala sé faic,

ach sméid sé ar chuid acu mar dhea is gur gealt cruthanta Culligan.

'Tá go maith, léifimid giota de dhán, 'Memory of my Father' le Paddy Kavanagh,' arsa Crean.

'An bhfuil sé ar an gcúrsa?' arsa Cooney. 'An mbeidh ceist air an dóigh leat?'

'Bíodh an *fuckin* diabhal agaibh go léir agus bhur ndán, ní dheineann sé ach an scoil a chur i gcuimhne dhom.'

'Cad é seo ach scoil?' arsa Frawley.

'Dhera, ní haon scoil é seo, féach Dan ansin ná feadair taobh amháin den chlár dubh seachas an taobh eile.'

Bhí Crean ag gliúcaíocht an fhuinneog amach arís. Bhí na spéartha ag boirbeáil chuige is aon soicind bheadh toirneach is díle ina diaidh. Tírdhreach iontaobhach ba ea é seo, a dhuine – báisteach aniar, uiscealach gréine aneas, litreacha is cuairteoirí anoir, agus aduaidh istoíche solas na gealaí ag tuirlingt leis na cait ar leaca na bhfuinneog. 'Liomsa an taispeántas seo, a bhuachaillí, agus muna bhfuil sibh sásta leis sin bíodh an doras agaibh láithreach. Fág fúmsa an scrúdú, is beidh libh, leathanach caoga a naoi.'

D'fhéachadar go léir ar an dán is na beola ag bogfheadaíl. Cáipéis oifigiúil eile ba ea dán – nár mhór é a scrúdú go dtí go n-aimseoidís an mionchló. Buille toirní is ba bheag nár scoilt sé an príosún. Léim gach éinne. Is mó an t-údar eagla an toirneach i bpríosún ná in aon áit eile toisc na príosúnaigh a bbeith ar bheagán iontaoibhe as an gcinniúint. Is ea, sceimhle ársa na toirní. Chuir an tintreach na scáileanna ag lascadh a chéile is ansin tost tobann. Ansin an díle ag titim ar mhullach an bhótháin *nissen.*

Osclaíodh an doras thíos i mbun an tí de phlimp is seo

isteach taistealaí – timpeall caoga, taistealaí den seandream. Bhí sé fliuch báite.

'Miste fothain a ghlacadh anseo, a mháistir, táim im lipín ag an bhfearthainn, chun go n-imeoidh sé arís, is é sin?' Chas na mic léinn timpeall is d'fhéachadar uathu síos agus sceamh as cuid acu. Gach 'Há, prioc leat!' agus 'focáil feat as seo, a dhuine,' ag éalú astu.

'Ní baol duit', a dhuine chóir,' arsa Crean ag iarraidh naimhdeas an ranga a cheilt air, 'suigh ansin thíos go fóill.' Bhí sé tar éis an duine a fheiscint cheana ag cruinniú duilliúir sa chlós amuigh. Thuig Crean an rang a bhí aige, bhí an ghráin acu ar éinne nár bhain lena mianach féin. Agus cén mianach é sin? Ó, mhuis, na fíréin!

'Is ea, más ea,' arsa Crean, 'léifead go breá bog daoibh é.'

> *Every old man I see*
> *Reminds me of my father*
> *When he had fallen in love with death*
> *One time when sheaves were gathered*
>
> *That man I saw in Gardiner Street*
> *Stumble on the kerb was one,*
> *He stared at me half-eyed,*
> *I might have been his son.*
>
> *And I remember the musician*
> *Faltering over his fiddle*
> *In Bayswater, London,*
> *He too set me the riddle.*
>
> *Every old man I see*
> *In October-coloured weather*
> *Seems to say to me:*
> *'I was once your father.*

Bhí sé an-sásta leis an slí a léigh sé dóibh é, le *panache*! Ba gheal leis an focal sin. Conas a thaitin sé leo? Bhuel, bhí sé *alright* is dócha, ach bhíodar gan bheith in ard a gcinn is a ngutha mar gheall air. Dhein sé iarracht ar chomhrá a thosú ach chuaigh de. Bhíodar béasach ach béaldocht. D'inis Crean dóibh mar gheall ar a athair féin a bhí ina cheimiceoir. Ba chuma leo. Dhorchaigh an lá orthu, ag baint fáisceadh as an aer – rud croíbhrúch. Agus feadh na faide na spéartha ag cnagadh agus an bháisteach ón b*prairie* ag clagairt na slinnte. Léigh sé arís é. Le *panache*. Mhínigh sé fealsúnacht an athar i stair an chine dhaonna. Leath a mbéal orthu.

Bhí sé seo ar an lá ba mheasa a chaith sé riamh. An litir faoi deara é, ach an dán in éineacht leis. An raibh aon rud le titim amach an tseachtain seo arbh fhiú tnúth leis? Aon rud deas? Chuimhnigh sé ar thigh Murty, pub sa tsráidbhaile thíos, agus an *clientele* nach raibh i dtreis ina saol ach ceol, dól is an rud eile.

Mhúscail an guth iad. 'B'in véarsa deas, a mháistir, chuir sé mé ag cuimhneamh,' arsa an taistealaí. D'fhéach gach éinne síos uathu ar an aghaidh mhéirscreach.

'Conas cuimhneamh?'

Bhí moill leis an bhfreagra. 'Támáilteacht atá orm é a rá.'

'Gheobhair éisteacht agus urraim,' arsa Crean agus súil aige go ndéanfadh seo réiteach ar dul an ranga.

'Bhuel, *alright*, tá's agat, na seideanna thíos sa chlós? Bhíos tamall ó shin á nglanadh amach. Bhí bairille tarra ann. Bhaineas de an clúdach agus fuaireas boladh an tarra istigh. Bhí cic miúlach sa bholadh sin, mar thug sé siar go dtí m'athair mé is mé an-óg. Tá's agat ag an am sin, ní rabhamar go maith as agus gan de thigh againn ach bairille tarra sa choill.' D'fhéach an rang ar a chéile, 'bairille tarra' ar siad, is diaidh ar ndiaidh bhris an gháire tríothu amach, Crean san áireamh.

D'éirigh Frawley ina sheasamh mar dhea is go raibh iontas mór air.

'Bairille tarra iomlán agat féin, a Mhuire mháthair!'

'Ní raibh, bhíodh an gadhar im theannta.' Siúd sna trithí arís iad, agus an taistealaí in éineacht leo. Is mairg do dhaoine a mbíonn an mhacántacht mar eire orthu sa saol seo. Is iad atá thíos leis. Bhuail smaoineamh eile isteach ina aigne: Cad é an cuimhneamh a bheadh ag Adrian ar a athair? Fear a d'éalaigh leis síos an cosán is scuab fiacla ina phóca aige. Ní raibh ar a chumas déileáil leis an smaoineamh sin. Ní inniu. Sall leis go dtí an fhuinneog arís. Ba é seo a ionad, le hais na fuinneoige ag déanamh uaignis. Agus ag déanamh aimsire. Bhí sé cinnte de sin den chéad uair riamh, eisean is na cimí eile an dá mhar a chéile, ag déanamh aimsire.

Thug sé aghaidh ar an rang arís, 'Cad a chuireann bhur n-aithreacha féin i gcuimhne daoibh?' Ní bhfuair sé aon toradh. Lean an tintreach – ar chuma éigin dhein sé an áit níos dorcha, is an toirneach níos ciúine. 'Caith uait mar scéal é' arsa Crean leis féin. 'Tá go maith, déanfaimid ......'

Ach díreach ag an bpointe sin léim Culligan ina sheasamh is é ag bailiú a chuid leabhar ag an am céanna. 'In ainm an *fuck* cad tá ar siúl anseo? Cad é an cacamas seo go léir faoi m'athair? Nach bhfuil a fhios agaibh cá bhfuil sibh? Is *fuckin* príosún é seo agus ní barda i dtigh na ngealt.' Bhuail sé na leabhair faoina ascaill agus léim amach go dtí an doras. Stad sé ansin agus a lámh ar úll an dorais aige, 'ní lú orm cac ná é!' is d'fhéach sé go fíochmhar orthu go léir. 'An bhfuil a fhios agaibh cad a dhein sé is mé óg? Ar mhaith libh é a chloisint? Níor mhaith! Murach é ní

......' Agus go tobann bhí an racht curtha de aige. Tháinig cuma shuaite air agus d'imigh an fhaghairt as. 'Cad is fiú?' ar seisean is ghluais leis an doras amach.

Is ea, arsa Crean ina aigne féin, an phraiseach ar fud na mias anois ó thaobh Kavanagh de. Ródhéanach a thuig sé a bhotún. Comhairle a cuireadh air an chéad lá a tháinig sé ná gan a dtinteáin féin a chur i gcuimhne dóibh go deo. Sullivan an t-iascaire, d'fhág sé a shuíochán is tháinig aníos go Dan, is leag sé a lámh ar a ghualainn. 'Ná tóg orm é, Dan, beidh mé chugat arís amárach, ach an t-athair, tá's agat, eagla atá orm ná beidh sé in ann an bád a láimhseáil.' Bhí sé istigh ar dhrugaí a thabhairt i dtír, ach thuig gach éinne gur san éagóir a ciontaíodh é. Bhí Sullivan mar sin, macánta, díreach mar a bhí an taistealaí. Bhí sé ráite go minic ag Kinnear 'dá mba bhean é, bheadh sé éignithe agam gan a thuilleadh moille.'

'Tá dhá bhliain eile anseo agam, ach, b'fhearr liom gan bheith ag cuimhneamh air. An dán úd, tá's agat ......' agus d'fhág sé an seomra. Ní fada a bhí Kinnear agus Cooney ina dhiaidh. Bhí athair Kinnear go dona san ospidéal, ar seisean, agus é ag imeacht agus an baol nach bhfeicfeadh sé go deo arís é. Bheadh sé ar ais amárach.

Dúirt Cooney go mbeadh sé ar ais amárach leis; ach ní raibh an t-athair riamh ar cuairt chuige ó tháinig sé isteach, trí bliana ó shin. 'Is bocht an scéal é go gcaitheann duine bheith i bpríosún chun an saol a thuiscint.' Shleamhnaigh sé leis.

Dúirt Frawley ná féadfadh sé an fústar seo go léir a thuiscint, go raibh sé an-mhór lena athair, agus go ndéanfadh sé aiste eile ar airgead Seoirseach – bheadh sé ag súil le sé an turas seo. B'in a raibh ann – an seomra chomh glan le mias.

Ach an taistealaí. Shiúil sé síos chuige. 'An mbraitheann tú uait an bairille?' Dhein an bheirt acu gáire. Ansin chroith an taistealaí a cheann.

'Ach cuimhní deasa.'

'Ceann thall is abhus – b'fhéidir. Ba ghnách leis mé a bhualadh le bata nuair a bhíodh sé ar deoch.' D'iniúch Crean an aghaidh agus na lámha – gach orlach dá chraiceann lán de mhéirscrí.

'Buaileadh go minic tú de réir dealraimh.'

'Buaileadh ach níor briseadh.'

Thaitin an freagra le Crean. Déarfainn go dtaitneodh sé le Kavanagh chomh maith. Ar chuma éigin bhí an-dealramh idir an bheirt acu, an neamhurchóid agus an mhacántacht chéanna acu. Shuigh sé taobh leis.

'Drochlá agam inniu. Mo mhac, braithim uaim é.'

'Conas drochlá?'

'Í féin is mise scartha, an mac aicisean.'

'Ach tá sé ina bheathaidh.'

'Cad eile?'

'Is chífir arís é.'

'Siúráilte go bhfeicfead.'

'Led shaol.'

'Lem shaol.'

'Gach ní ina cheart más ea.'

Thug Crean féachaint aisteach air, mar nár thuig sé i gceart é. D'éirigh an taistealaí is bhuail cúpla buille ar an talamh. Stad sé i mbéal an dorais. 'Níl sé ródhona bheith ag déanamh cumha má tá an rud ina bheathaidh.' Ansin is ea a thuig Crean.

'An raibh tú ... An amhla ...?' A thiarna, buaileadh an fear bocht ón dá thaobh, athair is mac. Thug an taistealaí féachaint amháin eile air is d'imigh.

D'fhéach Crean timpeall an tseomra, bhí sé ina aonar – ach Paddy Kavanagh, b'fhéidir. Bhraith sé níos fearr agus bhraith sé gurbh é Kavanagh is an taistealaí faoi deara é. Bhí mac aige, bhí saol aige. Buaileadh ach níor briseadh é. Cé dhein an riail go gcaitheann gach ní oibriú amach go deas socair néata. Piseog mheánaicmeach ba ea é. Is ea, leanfadh sé de bheith ag déanamh aimsire go fóill beag i dteannta an chine dhaonna mar nach raibh ar siúl acusan ach aimsir chomh maith, aimsir a mheilt.

Thosaigh díon an bhotháin *nissen* ag ligean. D'éist sé leis an mbraon ag titim. Cúpla lá ó shin bhí sé ag gabháil de haikúanna leis an rang, dánta beaga Seapánacha trí líne. Seo ceann amháin a cheap duine de na cimí.

braon anuas braon anuas
i ndiamhair phríosúin –
an tsíoraíocht ag ligean

Is ea, mhuis, ligeadh!

Clabhsúr

Ar fud na hÉireann bhí póstaí ag imeacht mar a bheadh slinnte den díon. Ach dar leis na nuachtáin bhíothas chun an scéal sin a chur in ionannas mar ba é seo an lá tar éis an Reifrinn um Cholscaradh, is bheadh na torthaí ann gan aon mhoill. Is air sin a bhí aigne Bhagnall dírithe agus é ag féachaint ar a chomhghleacaithe ag méanfach sa Rannóg Feabhais de chuid na Roinne Dlí agus Cirt – béil á n-oscailt, béil á ndúnadh – mar a bheadh madraí ag amhastraigh i scannán balbh. Dlíodóirí ar fad a bhí sa scannán balbh seo ach foirneálaithe ba ea iad nach raibh an cnuaisciún iontu tabhairt faoi mhuintir na tíre a robáil mar a dhéanfadh aon dlíodóir macánta. Ba thúisce leo socracht bhisigh na Státseirbhíse.

Ó am go chéile thugtaí isteach dlíthe le haghaidh a leasaithe. Ní raibh le déanamh ach an fhíneáil a mhéadú, an chomhréir a aistriú, an mionchló a dhéanamh níos mine, é a stampáil agus sin agat é. Anois beag bhíothas tar éis an Dlí um Fhiailí Goirt a Smachtú a thabhairt isteach agus muintir na hoifige ar fad ag boirbeáil chun é a réiteach. Chrom Fanaghan ar bheith ag giúnaíl faoi choirpeacht an bhuachalláin bhuí, an fheochadáin is na copóige. Nuair a chífeá bánta de chuid mhachaire méith na Mumhan in aon chlár amháin fiailí, thuigfeá an gá a bhí le Roinn Dlí agus Cirt!

Bhí Fanaghan an-chráifeach. Gach aon Nollaig gheibh-eadh sé taom den duairceas *post coital* a choimeádadh sa bhaile é go Lá 'le Pádraig. Ní thaithíodh sé an *pub* am lóin ach d'fhanadh sé laistiar dá chrinlín ag bradaíl arán bán as mála plaisteach. Ní itheadh sé é, is amhlaidh a ghlacadh sé é. Bean mhór le rá ba ea a chéile i gCumann na mBonn nGlan – gan de chuspóir acu ach a bheith réidh le magairle an tairbh ar an mbonn cúig phingin.

Bhuail Ó Luaimnigh a smig ar charn d'fhoclóirí Gaeilge. 'Caithfeadsa Gaeilge a chur ar gach aon diabhal ceann de na fiailí sin agus tá níos mó focal ag na Gaeil ar an ngeosadán ná mar atá ag na hEiscimigh ar shneachta,' ar seisean de ghiúnaíl.

Bhí gleo ceáfrach an tsamhraidh ó Shráid Uí Chonaill ag brú na fuinneoige isteach ar Bhagnall agus é ag féachaint síos ar a dhlí féinig, an Dlí um Ghadhair do Chosc ó bheith ag Salú na Ród. Dhein sé machnamh go ceann i bhfad air. Go tobann bhí sé aige! Cac is fiailí! Sa deireadh, Teoiric Aontaithe! Thuig sé anois nach raibh sa Dlí ach córas chun an nádúr is an dúlra a smachtú! Scar aoibh trasna a cheannaithe is ghabhfadh sé buíochas do rud éigin sa chruinne ach é a aithint.

Leis sin sádh cloigeann gan chorp isteach idir ursain is comhla, á rá go raibh an Dlí um Thrácht Capall is Trucail trí bliana i ndiaidh láimhe. Ar Drinkwater a bhí cúram na gcapall: bhí gach aon ní faoi chiúir aige, ar seisean, mar go raibh fadhb na dtairní réitithe aige. As seo amach bheadh sé cinn de thairní ar chrúite rud a chinn sé agus é ar *junket* go dtí an Bhulgáir.

'Ba dheise seacht gcinn, is é sin ó thaobh na Gaolainne de, *genius* na teanga, tá's agat, urú agus mar sin de,' arsa Ó Luaimnigh.

'Seacht gcinn de thairní! Tá go maith,' arsa Drinkwater, 'bíodh agat, nach cuma sa diabhal.' Agus ba chuma. Ó bhain Drinkwater an *menopause* amach bhíothas 'á phromótáil' ó Roinn go Roinn; 'an tsleaschéim' a thugtaí ar an ngleacaíocht seo. Ba sa Rannóg um Fheabhas a chríochnaigh sé. Ní raibh aon éaló as sin mar b'in a raibh de thíos ann sa Státseirbhís – cé gur cuireadh ina leith go mbíodh sé ag tnúth le Rannóg Dhlíthe na mBreithiún.

D'éirigh Thackerberry aniar óna chuid imleabhar dlíthiúil. 'A-an bh-bhfuil na torthaí is déanaí ag é-éinne?' ar seisean. Níor fhreagair éinne mar bhí a fhios ag an saol conas mar a chaith a bhean Thackerberry amach ar an mbóthar gan na *bicycle clips* féin aige, agus conas mar a bochtaíodh anuas sa tsaol é. D'iniúch Bagnall é; bhí a chuid éadaigh sa chleitigh, agus an taobh clé dá aghaidh lán de pháis – toisc é bheith ina chiotóg. Bhíothas á rá go raibh bean nua aige.

'Ch-chuala go raibh an chéad bhosca a osclaíodh ón oileán úd ó thuaidh ar fad fabhrach don cholscaradh.' Buaileadh gach cloigeann san oifig faoi – ní raibh éinne chun dul ceangailte i gcúis dlí. Ghluais sé leis righin go leor trí na crinlíní síos is amach an doras leis – gan chead fiú!

Ba ghnách le Mulfahy, an ceann oifige, codladh a dhéanamh le hais an dorais ach le súil amháin ina dúiseacht. Duine amplach é a bhí róthugtha do na 'beir-leatanna rís friochta', rud a d'fhág ina gheois ar fad é, agus ina theannta, deirtí, an-líofa sa tSínis. Bhain eachtra Thackerberry greann as agus siúd na smigeanna go léir ag cnagadh a chéile. Ba chomhartha sosa é a thug gach éinne amach ó na crinlíní – gach aon seitgháire astu.

'B'in Inis Laoi, níl ach líon tí amháin ann!' Aiteas ar gach éinne.

'Iad ar fad ina bProtastúnaigh, b'fhéidir!' Aiteas polaitiúil ar gach éinne. Ní raibh aon oidhre ar an bpíoparnach de gháire ó Mhulfahy ach scata ealaí ag eitilt i gcéin.

Phléasc an seomra le caint. Canathaobh gur fhág sé a bhean? Ní hea, ach ise a chaith eisean amach! Is cuma, na daoine scartha seo, bíd i gcónaí ag saothrú achrainn.

Maidhm de níleanna a bheidh mar thoradh ar an reifreann seo! Níl ann ach an dá mhar a chéile, fanfaidh praghas na dí mar an gcéanna. Cá bhfuair sé an t-ainm sin Thackerberry, ach go háirithe?

Nocht Ó Luaimnigh a starrfhiacail le teann seineafóibe nuair a chuimhnigh sé ar conas a bhraithfeadh sé dá mbeadh Thackerberry mar eire air ag gabháil tríd an saol.

'Colscaradh? Is é an gnéas bun agus barr an scéil,' arsa Ó Ruanaigh.

'Pioc den ghnéas a fuaireas féin le coicíos anuas ach na málaí tae a fháscadh,' arsa Ó Conaire.

'Má tá gnéas sa tuiseal giniúnach gheibhimse go minic é,' arsa Ó Luaimnigh.

Agus creideadh é; mar bhí Ó Luaimnigh pósta le giolthan rua a thógadh *spaniels* sa ló is raic istoíche; sa chaoi go mbíodh leisce air an oifig a fhágaint tráthnóintí go dtí go ruaigfeadh na mná glantóireachta abhaile é. Is na fiailí, lean dá dtachtadh.

B'ionadh le Bagnall nach raibh an bhóthiomáin seo ag cur mairge air faoi mar a dheineadh, go dtí gur chuimhnigh sé go raibh íocshláinte aige: 'Liz', ar seisean leis féin. Ansin arís, 'Liz'. Asarlaíocht, a dhuine! D'fhéach sé mórthimpeall ar lán na trá seo de raic dhaonna agus líon a chroí le báidh dóibh – tar éis an tsaoil níor thógtha orthu bheith dúr dubhach, mheas sé. Ansin chuimhnigh sé ar cad a dhéanfadh sé di tar éis dó bualadh léi sa Phalace Bar agus b'éigean dó éirí agus siúl timpeall chun brú faoi. Ós rud é gur chreid sé go raibh dualgas ar na huachtaráin bheith deas leis na híochtaráin lean sé Thackerberry amach, ag sméideadh ar shúil Mhulfahy ar a bhealach thairis.

Gan aon mhoill bhí Thackerberry aige agus shocraíodar

go raghaidís go dtí an bhoth vótála ba ghaire dóibh mar a bhfaighidís an comhaireamh. Bratacha an dá thaobh ar foluain. VÓTÁIL TÁ – VÓTÁIL NÍL fógraithe ar fud an bhaill. Achainí a bhí i VÓTÁIL TÁ, ach bagairt a bhí i VÓTÁIL NÍL, agus an Pápa seo is siúd laistiar de, Dia, an Bíobla, agus do shaoradh ó ifreann. Bhuaileadar bleid ar bhean de lucht TÁ. Dúirt sí go raibh an scéal ag dul ina gcoinnibh, lucht na tuaithe á dtreascairt. Agus tuath ar fad a bhí in Éirinn. 'Míorúilt atá uainn,' ar sise.

'Tá fuar agaibh,' arsa Bagnall. 'Canathaobh gur lig sibh don dream eile Dia a liostáil?'

Bhí corrabhuais uirthi. 'Bhuel,' ar sise, 'ar chuma éigin tá sé ar a dtaobhsan.'

'Is cuma sa diabhal le Dia,' arsa Bagnall. 'Cén chúis ná raibh bratach agaibh á rá 'is cuma sa diabhal le Dia – vótáil TÁ'?'

'Nach maith nár inis tú é sin dúinn cúpla lá ó shin,' ar sise le seanbhlas.

D'iompaíodar uaithi. Bhí an ceart aici, canathaobh nár inis? Ar a shon sin níor bhraith sé gur bhain an scéal leis féin. Agus iad ag gabháil thar bean a bhí i bhfeighil póstaeir NÍL d'fhiafraigh sé di cad a bhí ag titim amach.

'Ceart is cóir, sin atá ag titim amach!' ar sise le mórchúis bhíoblúil. Leanadar leo gur stad Thackerberry. 'An bhfaigheann tú an boladh?' ar seisean.

'Conas boladh?'

'An teip! Tá an t-aer ramhar le boladh na teipe, faoi mar a bhí i gCionn tSáile, Eachroim is an Bhóinn.' Bhí an duairceas ar a aghaidh róláidir don ghaois. Chuadar ag ól. Bhí an dá chloigeann cromtha os cionn na bpiontaí.

'An miste a fhiafraí díot an mór an cur isteach a dhéanfaidh sé ort?'

Dhein Thackerberry machnamh. 'Tá sí óg. Ní dheinid moill.'

'Cad mar gheall ar an ngrá?'

'Cad mar gheall air?' Bhí bagairt sna focail.

'Bhuel, tá's agat cad dúirt Woody Allen: *better to have loved and lost, much better.*'

Níor thug Thackerberry aon toradh air. D'éist Bagnall lena phionta agus na mílte cloigíní sa chúr á leá is á mbá – amhail is a bhí anamacha na marbh ag glaoch ar uisce.

'Céard fút féin?'

'Ó, táimse *alright*,' arsa Bagnall; 'chun na fírinne a rá, táim i ngrá.' Níor bhraith sé aon tuathalacht agus an focal á rá aige – den chéad uair riamh. Éireannach dhá scór ag maíomh as bheith i ngrá! Nára fíor sin.

Ba bhreá leis an scéal ar fad a insint dó, conas mar a casadh ar a chéile iad an chéad lá nuair a bhuail sí taobh thiar é ar bhóthar Nás na Rí. Bhuaileadar isteach go dtí an Red House chun an t-árachas a shocrú. Ina dhiaidh sin bhí rith an ráis leo. Abhaile go dtí a muintir i dTiobraid Árann cois locha. Toisc é bheith ina Bhaile Átha Cliathach ní fheadair sé gort seachas páirc go dtí gur thóg a hathair idir lámhaibh é; ansin an drúcht ar na húlla, mos na móna ar an aer, is an ghaoth ag cur tonnta Xanadu! Agus ag ól lena deartháireacha, é ag ransú a gcuid cainte le haghaidh seoraí fánacha ar conas bric a mharú le bainne cíche éan, ar ghailléisc a chuirfeadh troid ar asail, ar canathaobh go ngéaraíonn bainne le linn toirní, leigheasanna do na fachailí ar na caoirigh. Fáinne óir, a dhuine!

An seanscéal céanna san oifig, teannta a chur le córas an dlí trí aistriú na gclásal is na gcamóg. Ar 4.30 d'fhógair cloigeann ag an doras gur buadh scun scan ar an gcolscaradh. Chuaigh Thackerberry, nár chaith riamh, ar lorg toitín. Sheas sé leis féin is gach gal thuathalach as, agus an seomra ar fad ag sméideadh is ag scamhadh fiacla. Ansin thug sé aghaidh ar an doras. Ar a bhealach amach d'fhiafraigh Fanaghan go rómhilis de cad a cheap sé den reifreann.

'*Fuck* síos go hifreann iad,' ar seisean. Baineadh siar as Fanaghan beagán, ach lean sé den mhilseacht.

'Bhuel, ní dóigh liom go mbainfidh sé codladh na hoíche díomsa.'

'Ar cuireadh do chodladhsa ar vóta?' raid Thackerberry sna fiacla air sarar rástáil sé an doras amach agus é á phlabadh ina dhiaidh. Léim súil Mhulfahy. Thug Bagnall aghaidh ar an doras chomh maith. Stad Mulfahy é.

'Conas tá ag éirí leis an Dlí um Threoracha ar Bhuidéil Chógais?'

'Tá sin déanta le mí agam. Ar Smachtú Gadhar atáim anois.'

'Ó! Ar tháinís fós go dtí na cosáin a bheith á salú acu? Dá bhfeicfeá an chomharsanacht ina bhfuilimse im chónaí.' Theith Bagnall an doras amach ach ní fhéadfadh sé cuimhneamh ar an ortha a shaorfadh é ó leithéid Mhulfahy.

Bhuail sé leis an tsráid suas. Bhí buille an chúig buailte, agus na tábhairní ag múscailt. Shuigh sé chun an bheáir sa Phalace is d'ordaigh 'cú is giorria is an cú ar dtúis'. Bhain fear an bheáir cnagadh as an gcuntar nuair a leag sé an Jameson os a chomhair. Tuairisc uirthi ní raibh ann fós. Siar leis an gcú is d'fhan Bagnall leis an speach. Uth! Sea, cailín sochma í, gan a bheith fústrach, is í bog ar an gclog. Bhí sé ráite ag Blake gur d'airgead séimh nó d'ór faghartha na mná. Ba den airgead séimh í, is níor ghearánta dó sin, cé nár mhiste leis rud beag den fhaghairt ó am go chéile.

Ach ar a shon sin mheas sé go raibh teimheal den iarann tríd an airgead séimh. Áitíodh air go raibh lá. Bhí sí tar éis dinnéar a thabhairt do Shep, an madra caorach, agus í a fhágáil faoi ghlas sa stábla. Ansin thug sí Bagnall siar go dtí an scioból mar a raibh leathdhosaen de cheirtlíní clúimh ag baint na n-eireaball dá chéile ag iarraidh lámha a líreac, is súgradh a dhéanamh leis an mbréagán nua seo, an domhan. Thóg seisean go gliondrach ina bhaclainn iad, shlíoc is phóg iad is d'fháisc lena chroí iad. Ansin thóg sise ceann acu is thum i mbuicéad uisce é. 'Stad, ó, a Íosa, báfaidh tú é,' bhéic sé. Labhair sí go sámh is dúirt gur chuige sin a bhí sí, agus nach raibh neart air, agus feadh na faide bhí an bhoilgearnach ag suathadh an uisce. An iomarca madraí, is ní raibh aon fháilte roimh choileáin – b'in mar a bhí. D'impigh sé uirthi ach d'fhreagair sí nár thuig sé is níor dhein sé ach féachaint ar gach coileán acu ag súgradh go dtí an bomaite deiridh nuair a tumadh é. Iad go léir ar lár!

D'urlaic sé ar an tuí. Thug sí dhá leathghloine dhó is thug ag siúl é. Ach bhí dhá rud ná dearmadfadh sé go deo – glór na boilgearnaí, is aghaidh na mná chomh folamh leis an ngaoth ón loch.

Go tobann mhothaigh sé go rabhthas á fhaire sa scáthán. Bhí sí ansin le hais na fuinneoige suite ar a socracht. Anonn leis féna déin is rug ar lámh uirthi. 'Dé bheathasa chugainn,' ar seisean, á pógadh, gur shuigh taobh léi. Chuir sé a lámh ina phóca is chaith paicéad ar nós cuma liom ar an mbord. D'fhéach sí síos ar an bpáipéar spiagaí agus é ceangailte le ribín.

'Jack ...,' ar sise.

'Oscail é, seo leat, duitse é.' D'fhéach sí síos arís ar an bpaicéad, crith bheag ar a liopa uachtair, ansin d'fhéach air.

'Cuir é sin i do phóca, led thoil.' Bhí údarás creathánach ar a guth. Chuir.

'Níos déanaí, más ea, cad a ólfaidh tú?'

'Jack, tá sé go léir thart.' D'fhéach sé uirthi go neafaiseach.

'Cad tá thart, a úillín?'

Bhladhm súile i bpéin is d'fhéach sí ina timpeall. 'Tá sé go léir thart idir mise agus tusa. Agus led thoil ná tabhair úillín orm. Is gráin liom é. Mise agus tusa, *finis!*' Shlog sí. 'Buíochas le Dia tá sé ráite agam. Táim le dhá uair an chloig ag déanamh na sráideanna ag cleachtadh na habairte sin – 'tá sé thart, tá sé thart'. Ar mo leabhar go bhfuil an ghráin dearg agam orm féin,' is rith na deora léi.

D'fhéach Bagnall uirthi is í ag triomú na ndeor ach siolla dá caint níor thuig sé. 'Mise agus tusa? Conas, canathaobh in ainm Dé?'

D'fháisc a greim ar a mála is chúb sí isteach ina cóta. 'Inniu, an reifreann, tá briste ar lucht colscartha, mise agus tusa, chailleamar an cluiche.'

D'fhan sé tamall fada ag stánadh uirthi, í bánaghaidheach álainn ach rud beag sceimhlithe, a haltanna teann bán ar an mála. 'A Liz, ní raibh im phósadhsa riamh ach tromluí, trí mhí ina dhiaidh sin scaramar! Tá sí i bhFrankfurt anois is í sásta. Ocht mbliana ó shin, a Liz!'

Dhún sí na súile, deoir allais os a gcionn, a beola ag bogadaigh i leith is gur ag urnaí a bhí sí. 'M'athair, na deartháireacha, ní ghlacfaidh siad leat, tá airgead i dtreis, a gcuidsean mo chuidse. Is í do bhean chéile fós í i súilibh an dlí; is léi leath a bhfuil agat anois is an t-iomlán má chailltear tú – mo chuidse san áireamh, a chonách sin orm.

Ní bheadh aon chearta agam. Lig dom, airiú!'

Bhí na súile i riocht sceite arís ach stop rud éigin iad. D'éirigh sí is sheas sí taobh leis an bhfuinneog, beagán den scáth fós uirthi. Bhí sí ar a míle dícheall chun nach bhfeicfí aon laige dá laghad inti. D'fhan Jack ina shuí, ag guí nach bhfeicfí a bhalla beatha ag crith.

'N-níl sé seo éasca, a Jack, táim go mór i ngrá leat i gcónaí,' shlog sí, is b'éigean di é a dhéanamh athuair. 'Ach ní bhead go d... Bhuel, is maith an scéalaí an aimsir dob áil dom a rá.' D'fhéachadar ar a chéile; is ag Jack a bhí cead cainte, ach comhartha dá laghad níor thug sé uaidh. Ar eagla nár chuala sé an chéad uair í, dúirt sí os íseal, 'tá an scéal istigh orainn, istigh atá sé, *finis*,' is dhein na S-anna seoirseáil. Bhain sí lán na súl as – cúig shoicind, sé shoicind, seacht soicind – go dtí gur chas sí uaidh is gur ghluais tríd an doras amach.

D'fhan sé tamall fada ina shuí ag déanamh a dhíchill chun ... cad chuige? An saol a thuiscint arís? Bheadh sé sin deacair, bhí rialacha nua i dtreis inniu. Ach ina aigne bhí rud sa tslí idir é is an tuiscint – aghaidh Liz. Agus cad í an aghaidh í? Ó, mhuis, an aghaidh a bháigh na coileáin. Agus cén fáth nach mbeadh, nach raibh sí díreach tar éis ceann eile a bhá?

B'éigean dó dhá iarracht a dhéanamh ar éirí ina sheasamh. Bhí a chuid dí fós ag brath leis ar an gcuntar. D'oscail sé a bhéal is siar leis. Níor lean aon speach é.

'Hé, a Bhagnall, bhfuileann tú alright, tá cuma an-suaite ort?' Connerty a bhí suite chun an bheáir taobh leis. Láithreach bonn bheartaigh Bagnall ar an scéal ar fad a chur faoi bhráid mo dhuine, ba mhór an sos dó é. Ach bhí sé in Éirinn. Aon nod go raibh sé i dtrioblóid maidir le cumann agus bheadh sé ina cheap magaidh acu.

'Bádh mo choileán.'

'Bádh do choileán! Conas, airiú?'

'I mbuicéad uisce.'

'O, dhé, conas a dhein sé é sin?'

'Bean a bháigh é, ní raibh agam ach é.'

'Bean!' Chas sé ar na daoine taobh leo. 'Cad deirir leis an mbean a bháigh coileán mo dhuine?' Chruinníodar timpeall air.

'Níor chaill na bitseacha riamh é.'

'Dein í a chúiseamh!'

Sea, bhíothas i bpáirt leis ach níorbh aon mhaith é. Diaidh ar ndiaidh chasadar uaidh ar a gcásamh féin is fágadh Bagnall ag cíocáil air féin sa scáthán.

Bhuail Skerrit ón Roinn Gnóthaí Eachtracha isteach is shuigh taobh leis. 'Poblacht bhanana an tír seo!'

'Sea, ach gan aeráid phoblacht bhanana, is baolach.'

'Séard a deirim ná an loch amach duit!'

'Conas an loch amach?'

'Bailigh leat thar lear, bean, pósadh, socraigh síos arís. Cén t-aos tú?'

'Daichead.'

'Hmmmmm, tá an dá scór cuíosach ...,' chas Skerrit is dhein a chluas a thochas, 'cuíosach ró- ..., bhuel ní bheadh, cá bhfios – táimse in Oifig na bPas, tá's agat – sea, tá áiteanna ann mar an Afraic Theas, tá *future* ansin b'fhéidir, póilíní.'

Níor thug Bagnall aon toradh air mar ag an nóiméad sin d'fhás fuath millteanach ann chun a thíre is a muintir. 'An bhfuil a fhios agat, go gcuirfeadh biorán buí iachall orm dul amach agus boscaí teileafóin Bhaile Átha Cliath a bhriseadh.'

'Ní bheadh ansin ach *vandalism*. Ní hea, ní fearr duit rud

a dhéanfá ná dul suas is do mhún a dhéanamh i nGairdín an Chuimhneacháin. Seo chugainn Janie. Hi, a Janie, gabh i leith,' arsa Skerrit. Bhí Janie agus Skerrit sa Remarriage Front le chéile; chuaigh sí anonn chucu, agus giob geab an lae á stealladh aici – muintir na hÉireann tar éis iad féin a náiriú arís, gan de leigheas air ach imirce, agus araile.

'Seo, tóg é seo, a Janie,' arsa Skerrit is shín sé cnagaire chuici, 'fá thuairim do shláinte.' Gháireadar, is bhéiceadar, is d'fháisceadar a chéile. Agus Bagnall ag féachaint orthu, nochtaíodh fírinne nua dó – go mbíonn sásamh folaigh i ngach anachain. Áthas a bhí orthu gur briseadh orthu mar gur teann i bpáirt iad lucht caillte na himeartha. Is ní sheasódh an pháirt úd gan an chúis. Dá n-éireodh leo dhéanfaí scrios ar an muintearas a thug tríocha bliain ag fás. Dhéanfaí an chuideachta a scor is a scaipeadh go himeallbhord staidéartha na cathrach, mar a ndéanfaidís cumha na seanleathanta.

D'fhéach sé air féin sa scáthán. Bhí sé léite in áit éigin aige: má tá dealramh agat led phas-fóta tá tú róbhreoite chun bheith ag taisteal. In ainneoin an rabhaidh seo d'fhág sé an áit, mar bhí riail aige, ciotrainn amháin in aghaidh an phub.

Amuigh faoin aer arís, cic eile sa chliabh is ba bheag nár leagadh é. Bheadh cabhair uaidh. Isteach leis i bpub eile i Sráid na Tríonóide. Cú eile, pionta eile, scáthán eile, peidhre súl eile mar a gheobhfá ar *spaniel* caillte. Sea, bhí sé lán go pus de mar scéal agus luigh sé chun óil.

Bhí air an milleán a chur ar dhuine éigin. A hathair! Is na deartháireacha! Slibirí! Agus a páirtí, Kate. Agus Sinéad! Níor cheil an bheirt úd an mírún dó riamh. Shamhlaigh sé ina aigne conas a chuaigh an chaint an chéad lá a lig sí a rún leo. Iad sa chistin Arco, slacht i

ngach cúinne, na gréithre, caife, pâté is *crackers*, an gáire,
ansin an seanchas bog, ansin an seanchas cruaidh, ansin –
is amhlaidh a casadh duine orm, Duine Nua – (sea, sea,
spéisiúil) – státseirbhíseach – (sea, sea, ní fearr riamh é) –
tríochaidí, bhuel, tríochaidí déanacha, bhuel ... tá's agaibh,
bhuel sórt ... cuma óg air, 'dtuigeann sibh, (á, sin agat é,
Liz, sin agat é, *crunch*! *crunch*!) an-chraic ag baint leis,
deisbhéalach, (sea, is é is fearr ná a chéile, an-ghá le
deisbhéalacht, blaiseadh, blaiseadh) á, scartha lena bhean
(ciúnas, stop, sos, slogadh, slogadh, dhá *cracker* á
g*crunch*áil le chéile, sea, an-chomónta na laethe seo, ní faic
é) táim, bhuel, ceapaim, bhuel b'fhéidir, i ngrá leis, bhuel i
ngrá ach gan a bheith ar dalladh leis, tá's agaibh ach ...
(Sinéad ag iarnáil na roc amach as an sciorta ar a más
méith, grá, sin agat é, ná fuil an ceart agam, a Kate)
bhíomar ag caint mar gheall ar ... tá's agaibh (ciúnas
míchneasta, sea, más maith é is mithid, nach bhfuil
reifreann chugainn?) sea, sea, tá an ceart agat, sin a deirim
leis, an mbuafaidh sé, cad is dóigh libh? (an saol ina staic,
blaiseadh, snáth éadaigh á phiocadh de ghlúin bhlasta,
dhera canathaobh ná buafadh, nach fial flaithiúil an dream
iad na Gaeil – agus cé ólfaidh *whacker* bhranda a thug
Tony leis abhaile ón nGearmáin?)

B'in é an uair gur chuir Land, ón Roinn rud éigin, an
cogar ina chluais.

'Conas a bhíonn a fhios ag an gCiarraíoch go bhfuil a
mhuc ramhraithe a dhóthain?' ar seisean. 'Nuair a
bhroimeann sé sméideann sé!' agus d'imigh sé leis agus
gach scairteadh gáire as. D'fhéach Bagnall ina thimpeall.
Bhí na scáthanna ag dul i bhfaid is an oíche ag bagairt.
Agus is amhlaidh a bhí eagla air roimh an oíche chéanna.
Bheadh air dul abhaile. Ach bheadh air deoichín amháin

eile a bheith aige sara dtabharfadh sé faoin mbóthar. Agus bhí rud amháin cinnte, ní raibh éinne ag súil abhaile leis. Is ní bheadh.

'Habann Tú Banana?'

Ba é an chéad leid a fuaireamar ar an Ath-Theacht ná geáitsí Chriostóir Uí Mhaoil Íosa – duine de na baill. Thosaigh sé ag ól piontaí ní ba thapúla ná mar a bhí an Ghaeilge ag fáil bháis, rud a d'fhág ar na stárthaibh i gcónaí é. Ar a shon sin nocht sé tréithe áirithe Críostúla, cuir i gcás an tosach a bhaint dínn go léir go dtí an beár chun deoch a sheasamh. Bhí cosc ar charthanacht d'aon saghas sa chumann ach bhraitheamar gurbh fhearr poll san onóir ná poll sa phutóg.

B'fhéidir ná raghadh cúpla focal mínithe amú i dtaobh an chumainn seo, Cumann Philib a' Chleite, i Sráid Fhearchair. Áit chiúin é, ciúin go leor chun go gcloisfeá na damháin alla ag fí leo i gcúinní an tí. Ciúin mar bhí an dóchas díbeartha agus níonn an dóchas torann agus is sa díth mhisnigh amháin a bhíonn an fíorshuaimhneas. Iniúchadh dár dheineamar ar an domhan mór amuigh, chruthaigh sé dúinn go bhfearann an dóchas cogaí, an uair a chuireann an t-éadóchas ar ceal iad. Sin é an fáth go rabhamar tar éis riachtanais bhallraíochta a achtú sa bhunreacht: díth mhisnigh, diúltachas, agus doilíos, na haon tréithe daonna amháin a nglacfaí leo sa chumann.

Anailís dár deineadh ar an mballraíocht thosaigh thaispeáin sé claonadh aisteach: is amhlaidh a bhí Cumann Philib a' Chleite ag líonadh le lucht na Gaeilge. De réir dealraimh ní raibh aon bhuachan orthu i gcúrsaí diúltachais. Ach mar chúiteamh thugadar leo scata dea-thréithe inghlactha mar atá, mioscais, éad, formad, gangaid, bitseachas, mór-liom-dóibheachas agus mar sin de. Chun go dtitfimís isteach le Clásal na hInaisceachta – nó Clásal na Buille – atá mar bhunchloch faoin mbunreacht, ghéilleamar dul i bpáirt leo agus gan ach

Gaeilge a labhairt – teanga atá chomh daortha sin nach mór deimhin a dhéanamh de gurb ann fós di gach aon mhaidin. Níorbh fhada go rabhamar cinnte gurbh fhearr is gurbh fhileata an mhíchinniúint í míchinniúint na nGael. Dá bhrí sin níor chuir sé ionadh ar éinne nuair a ghlac an cumann le *gimigam cech nech* mar mhotto: – seanGhaeilge, a' dtuigeann tú? Agus ár ndóigh níor thuig éinne é – rud a bhí in oiriúint don bhunreacht – ach bhí an bhrí scríofa faoi:

is banana gach rud
tá gach rud ina bhanana
banana is ea gach rud
banana gach rud.

Agus nóta curtha leis: aon teanga shaolta a bhfuil sé de ghliocas inti cúig shlí a bheith aici chun *banana gach rud* a rá, is teanga thar an gcoitiantacht í. D'aontaíomar.

Bhí rud amháin nach raibh ag teacht leis an mbunreacht, is é sin an Ghaeilge a bheith á cur ar aghaidh againn. Bhí sé leagtha orainn gan a bheith ag fónamh d'aon rud. B'in é an uair a rith sé linn go bhféadfaimís an dá thráigh a threascairt ach cumann eile a bheith ar bun againn 'The Society for the Destruction of English', – ach faraor chaith an coiste na blianta ag troid mar gheall ar cén Ghaeilge a chuirfí ar ainm an chumainn. Ní raibh éinne i gceannas ar Chumann Philib a' Chleite, mar dá mbeadh, ní bheadh ann ach aitheantas a thabhairt don slacht, géilleadh go bhfuil gá le heagar sa saol díbheo seo. Bhronn áilleacht an éadóchais aontacht ar ár mbuíon is ba leor sin. Ba mharfach an mhaise d'éinne cuimhneamh ar a bheith ina thaoiseach orainn-ne mar dá mbeadh, thráfaimis a neart, shínfeadh ár bhfuath i gcróilí é, ghortóimís go náire é, thraochfaimís go lic an bháis é, is ina dhiaidh sin is uile bheadh air cúig cinn de *round*anna a cheannach dúinn go léir ag an mbeár. Is mairg don chloigeann a thógfadh é féin os cionn na cóipe. Mar lón cogaidh againn bhí an Bhrionglóid Mhór : go nglacfadh na Gaeil forlámhas ar náisiúin an domhain. Bhíomar tar éis brionglóidí cumannacha eile a iniúchadh is dar linn ba shábháilte ár gceann-ne, mar go deo deo ní dhéanfadh sé tadhall le suarachas an ruda sin go dtugaimid an réaltacht air.

Ní raibh éinne againn inár gcainteoirí dúchais ach tráth dá raibh bhí a leithéid inár measc. Ní fhéadfadh sé gan ár gcuid Gaeilge a cháineadh, é ag síorcheartú ár gcuid gramadaí. Ruaigeamar faoi Chlásal na Mí-Éifeachta é. Sea, b'in mar a bhí againn, ag cleachtadh ár ndrochGhaeilge, ag ól beorach, ag caitheamh ár dtóna go hiondúil, ag feitheamh leis an mbuabhall a dhéanfadh na spéartha a réabadh is Armageddon a fhógairt, is a chonách sin orainn!

Maidir le Criostóir Ó Maoil Íosa d'fhás sé féasóg; chomh maith leis sin tháinig an fhéachaint sin sna súile aige a leanfadh timpeall an tseomra tú ar nós pictiúr den Chroí Ró-Naofa. Ach nuair a tháinig sé ar an bhfód feistithe i róba fada bán thuigeamar go raibh seó i ndán dúinn. Sa deireadh níor dhein sé ach a chur in iúl dúinn gur mhaith leis cur isteach ar chead pleanála i gcomhair céasadh croise amháin – é féin.

Bhí cosc orainn gliondar a thaispeáint – ní cheadaítear é ach i láthair sochraidí na mball. Ach rith sé linn nach raibh céasadh croise againn le fada. Fiafraíodh fios fátha de, is mhínigh sé gur dhóigh leis nárbh aon timpiste a ainm is a shloinne. Ghéilleamar dó. Mhaígh sé nach raibh de chúis aige laistiar den fheachtas ach diomailt is vásta macánta.

Chomh maith leis sin chruthaigh sé go raibh sé an-tugtha don teip. (Ní hamháin go raibh an teip riachtanach sa chumann, bhí sé éigeantach.) Bhí buaite orainn agus b'éigean dúinn lánchead pleanála a bhronnadh air — *do chéasadh croise amháin.* Dúramar leis go gcuirfimís coiste céasta ar bun chun cabhrú leis. Bhí achainí amháin aige — feartlaoi, agus ba mhaith leis é a mhíniú! Bhí dhá fhadhb ag mo dhuine, bhí sé róthugtha don teangeolaíocht agus bhí fad an lae amáraigh ag baint leis. Nóiméad go leith a thugamar dó.

A leithéid seo, ar seisean, níor shaothraigh na Gaeil riamh aon fhocal beacht do 'yes', nó 'no', agus an toradh air sin ná dílseacht bhuan don éiginnteacht. Agus gan aon fhocal ann do 'have'. Idir 'have', 'yes', agus an 'no' bhí d'áiféis ann nach bhféadfaí an t-amhrán cáiliúil úd 'Yes, we have no bananas' a aistriú go Gaeilge. Ach bhí an réiteach aige féin. *Habeo* na Laidine a ghoid, rud a thabharfadh habaim, habann tú, habann sé, dúinn. Bhíomar den tuairim go raibh *habann tú banana?* chomh danartha, tuaisceartach sin go mba cheart glacadh leis láithreach. Ghlacamar chomh maith leis an bhfeartlaoi a bhí ceaptha aige, bhí sé chomh hainnis sin.

Tháinig an lá sprioctha agus bhailíomar go léir ar leirg Chnoc Dhá Charraig atá laisteas de Bhaile Átha Cliath. Bhí sé fuar agus bhí deabhadh orainn agus rud ní ba mheasa ní raibh aon taithí againn ar choróin deilgní, nó ar cad is sciúirseáil cheart ann, agus an rud ba mheasa ar fad ná an ball a raibh páirt Longinus á ghlacadh aige, ní raibh tuairim aige ar cad a bhain le sleá, sa chaoi go raibh fuil ar fud na háite is an áit ina chis-ar-easair acu. Faoin am go raibh Criostóir bocht curtha agus carraig mhór robhláilte anuas air bhíomar bréan den scéal agus ní raibh aon leisce orainn ag baint beár an Chumainn amach. Bhíomar go léir ar aon fhocal: lá gan bun ná barr a bhí ann, lá scannalach amach is amach, búistéireacht gan tairbhe, cur i gcéill, agus eile. Is mó taoscán a d'ólamar an oíche sin faoi thuairim ár slánaitheora, mise á rá leat.

In áit éigin amuigh ar Chnoc Dhá Charraig tá cloch agus feartlaoi mo dhuine air, 'SEA, NÍ HABAIMID AON BANANAS'. Is saolta simplí an rá é, dála 'banana gach rud'; cuma áiféiseach orthu araon, b'fhéidir, dar le daoine áirithe, ach cuimhnigh gurb é croí a mbrí ná aontacht mhistiúil na cruinne, go bhfuilimid go léir le chéile, gur clocha, sceacha, míoltóga sinn in éineacht. Leath an scéal ar eagla go ndearmadfar é – in onóir dár slánaitheoir, Criostóir, mar más bananaí sinn, is slánaitheoir gach duine againn freisin.

Aos Ifrinn

Ag gabháil soir tríd an Mhumhain dom fuaireas amach go rabhas rite as peitreal i mbaile beag darbh ainm Baile Aille Liú. Ní bhrisfeadh an garáiste mo sheic. Díreach ag an bpointe sin bhuail mar a bheadh splanc mé agus thuigeas láithreach go rabhamar go léir ag maireachtaint in ifreann.

Bhuaileas isteach go dtí an tigh óil seo, agus shíneas an seic thar chuntar. Sall le fear a' tí chun na fuinneoige á iniúchadh; thit tost ar chóip na dí laistiar díom. Sna laethanta úd bhí aithis ag baint le seiceanna. Bhraitheas an cleas laistiar dom iniúchadh ó shál go rinn, ach go mór mór na sála, mar um an dtaca sin ba sna sála a bhí an t-éasc orainn go léir agus leath na tíre curtha as a ndíreach acu.

Ní bhrisfeadh an pusachán abhaic seo mo sheic ach chomh beag. Ar an slí amach dom thugas aghaidh orthu. 'Bhfuil an scéal is déanaí ar an gCuban Crisis agaibh?' arsa mise. D'fhéachadar go léir orm féachaint an rabhas dáiríre, agus ansin d'fhéachadar ar an Lilliputian laistigh den chuntar mar dhea is gur aige a bhí réiteach gach feasa. Ní dúirt sé focal. Níor chlos ach sconna ag ligean – ní uisce ach an tsíoraíocht – ina deoir is ina deoir. D'fhéachadar go léir isteach ina ngloiní – gach gloine acu folamh. Ar chuma éigin bhain na gloiní sin leis an síoraíocht mar is mar a chéile tnúth is ifreann.

'Cá bhfios nó gurb inniu Lá an Luain?' Ní bhfuaireas beann ar mo labhartha. 'Lá Philib a' Chleite?' Aon toradh. Thugas mo dhroim leis an Aos Ifrinn agus d'éalaíos liom amach as Lic na bPian.

I lár na sráide lasmuigh rith sé liom go raibh gaol ag Páidí Sé (dearthair Dan) sa phóicín móna seo agus é ina chléireach paróiste nó ina 'fheidhmeannach cille' de shórt éigin. Seo liom láithreach ag greadadh suas na lánaí chun an tséipéil. Ar an slí suas na céimeanna dheineas iarracht ar scéal an chléirigh a thabhairt chun cuimhne – is amhlaidh a cailleadh a mháthair agus gan aige ach na trí bliana. Iascaire ba ea an t-athair agus ós rud é nach raibh ar an oileán ach an t-aon chlann amháin agus gan éinne a chabhródh leis ní raibh aon leigheas aige ar scéal an linbh ach é a fhágaint i mbairille ar bharr na haille an fhaid is a bhíodh sé féin ag iascach, is gach re súil aige in airde air.

Deirtear go bhfuair an leanbh an-drochúsáid ó na faoileáin agus go mór mór na caobaigh. Ansin bhí rud éigin mar gheall ar bhratacha, ceann dearg don ocras, ceann dubh dá mhúinín agus araile. Racht gáire a tháinig orm, a dhuine, is b'éigean dom bheith im shuí ar na steipeanna chun go scaoilfinn tharam é. A thuilleadh den ifreann.

Ní raibh aon oidhre ar an áit ach teampall gallda, néatacht is glanachar ar fad, a dhuine, pé áit a bhfaigheann siad an t-airgead chuige.

'Cara mé le Páidí Sé!'

'Fágann sin an bheirt againn inár gcairde go deo, a mhic,' ar seisean agus bhain sé an-fháscadh as mo lámh. Comhaos dom féin – má thuigeann tú leat mé – ach rud beag as an ngnáth. Ní fhéadfainn a rá conas, mar bhí an dealramh céanna air is a bhí ar an gcuid eile againn – tá's agat – *fucked up* is i bhfad ó bhaile, an ceann ag scamhadh orainn agus na bróga *crepe* céanna. D'fhéachas timpeall ar an oifigín.

'Cad a dheineann tú anseo?'

'Buailim an clog.'

'Níl ansin ach trí huaire sa ló.'

'Is fíor dhuit ach is é an feitheamh is measa. Ach deinim

na veistmintí chomh maith, 'dtuigeann tú, ní haon dóichín iad na veistmintí céanna, mise á rá leat,' agus sméid leathshúil orm. Rinc na méara tamall ar an mbord, ansin thóg sé amach uaireadóirín airgid ar shlabhra agus ghliúc air.

'Seacht nóiméad déag go Fáilte an Aingil.' Chonaic sé an fhéachaint a thugas ar an uaireadóir. 'Ba lem mháthair é,' ar seisean, 'níor thit d'oidhreacht liom ach é,' agus dhein sé gáire beag. Ansin chlaon sé im leith, 'ach is cuimhin liom í.'

'An tú cléireach an pharóiste?'

'Ní mé, ach...'

'Ach?' Bhuel, dá mbeinn ann an dá lá dhéag bheinn gan freagra. 'Sea, tuigim, tá fear eile...'

'Tá fear eile....'

'Ach lá éigin beidh tú id ...'

'Lá éigin...' Corrabhuais a bhí air, maran miste leat.

Chualamar torann lasmuigh den doras. Gheit mo dhuine as a chathaoir agus sall leis go béal an dorais, sceimhle éigin ar a aghaidh. D'fhéach sé suas síos an cosán ach ní raibh éinne ann. Chas sé ar ais ach iarracht den sceimhle fós air.

'Mheasas gurbh é an t-athair Maití a bhí ann.'

'An sagart paróiste?'

Shuigh sé síos arís. 'Ní hé an té is measa é. Ach caitheann tú a bheith cáiréiseach nuair a bhíonn sé sa chomharsanacht, má thuigeann tú leat mé,' agus sméid leathshúil eile orm. Ach fós ní fhágfadh an sceimhle an aghaidh. Tar éis tamaill ghlan sé a scornach is labhair arís.

'Ní bheadh sé ceart ná cóir dá n-imeofá agus drochthuairim agat den Athair Maití. Fear maith é. Thóg sé isteach anseo mé, thóg, ambaist, an uair a bhí jabanna gann go leor. Eisean a ghearr amach an seoimrín seo as an eardhamh dom – domsa amháin, a dhuine.'

D'fhéachas timpeall arís ar an g*cubbyhole* ina rabhamar agus thugas faoi deara den chéad uair gur leaba shuíocháin é an binse ar a raibh sé suite. Is ansin díreach a bhuail sé mé mar phoc ón spéir – an bairille! Bhíomar sa bhairille.

'Níl aon bhuachaint ar shéipéal a dhuine, agus an saol le breáthacht is díomhaoine a bhíonn le fáil ann! Bunoscionn leis an áit seo thíos.' Dhírigh sé a lámh i dtreo an dorais mar a raibh radharc ar shimnéithe agus ar shlinnte Bhaile Aille Liú againn – ní baile beag in aon chor a chuirfeadh sé i gcuimhne duit ach clós tógálaí. D'éirigh sé ina sheasamh agus mar a bheadh misneach nua chun an tsaoil ann. 'Bíonn tú slán sábháilte in eaglais. Cad é an tiús atá sna fallaí an dóigh leat, seo, tabhair buille faoi thuairim.'

'Ocht dtroithe ar tiús, déarfainnse,' arsa mise.

'Dhera, éist, a dhuine, táid in áiteanna trí troithe déag ar tiús. Sin agat tiús a mhairfidh le saol na saol, céad moladh le Dia.' Shuigh sé síos agus racht laochais air amhail is a bhí buaite ar dhuine éigin aige. Ach ní mise a bhí ag argóint leis agus is cinnte nach raibh éinne eile ann.

Táimse féin an-tógtha le heaglaisí, bíodh a fhios agat. Uaireanta deinim amach go raibh baint éigin agam le heaglais i gceann de na saolta a bhí ann roimh an ceann seo más fíor a gcloisimid. Mé im shagart paróiste, cá bhfios? Nó mise an t-ailtire? Nó an bacach ar an déirc lasmuigh den doras?

Mhíníos scéal an tseic dó. 'Ná cuireadh sé aon mhairg ort,' ar seisean. "Sé is lú is gann dom a dhéanamh do chara Pháidí Sé. Tar éis Fáilte an Aingil, déanfad é a bhriseadh duit.' Mhíníos dó gur cruashiúl a bhí fúm soir agus iachall orm a bheith i Miosc roimh a cúig.

'Miosc roimh a cúig, Miosc roimh a cúig,' ar seisean agus

iarracht den neirbhís air. 'Dá ndéanfainn roimh Fháilte an Aingil é bheimis ag baint na mbairneach den chloch.'

'Má chuirtear aon mhoill ort buailfeadsa an clog duit.'

'Ní haon dóithín an clog, a dhuine,' ar seisean agus buairt air.

'Bhíos i scoil chónaithe tráth dá raibh. Dheininn an clog a bhualadh go rialta, a trí, a trí, a trí, ansin a naoi, ní haon nath agamsa é.'

'Scoil chónaithe!' Thóg sé an-cheann de scéal an scoil chónaithe. 'Tá go maith,' ar seisean, 'déanfad é a bhriseadh duit i dtigh Teaingní.' Thug sé chomh fada leis an gcloigtheach mé. 'Fágfad fút mar sin é. Bíodh a fhios agat go bhfuil an-iontaoibh agam asat.' Agus as go brách leis ar sodar, mo sheicín idir na méara aige. Ní foláir nó bhí sála iarainn faoi mar chuala a cliotar a dheineadar ar na céimeanna go dtí gur éagadar sna lánaí thíos.

Bhí téad an chloig os mo chomhair amach agus is mór an t-ionadh a dheineas de ag siúl timpeall air. Siogairlín mór dearg ar crochadh de cheann na téide agus as sin suas snaidhmeanna don ghreim. Lean mo shúil na snaidhmeanna an téad suas go dtí gur chailleas iad i ndorchadas an túir. Ar feadh soicind bhíos ar aon aimsir leis na meánaoiseanna.

Chuir sé dáinín Goldsmith i gcuimhne dom – rud a dhein sé nuair a bhí sé sé bliana d'aois ag faire ar fhrancach in ionad bheith ag éisteacht leis an seanmóir in eaglais a athar.

A pious rat
For want of stairs
Climbed a rope
To say his prayers.

72

Tá's ag Dia go ndéanfadh filí nua-aimseartha fonóid faoi seo ach nach maith gur cuimhin liom é an uair nach cuimhin liom tada atá scríofa acu féin.

Ghluaiseas liom timpeall urlár an chloigthí ag léamh na bhfógraí. Bhí John J. Moroney tar éis suíochán nua a bhronnadh ar an séipéal in onóir dá bhean chéile a cailleadh roimh Nollaig. Chosain sé £345 – ba bheag nár thiteas as mo sheasamh. Agus pictiúirí an phápa nua, Eoin rud éigin, ar na fallaí go léir. Dá mba chathair mar a tuairisc í ba ghearr go gcuirfeadh sé deireadh leis an gcreideamh ar fad. Ach focal faoin *Cuban Crisis* ní raibh ann.

D'fhéachas uaim soir mar bhí sé ráite gur anoir a thiocfadh an cnagadh dá séidfí an domhan. Is dócha go bhfeicfimís an caor chugainn anoir agus ansin 'Bye Bye Blackbird'. Ach ina ionad sin, thosaigh cloig an bhaile ag séideadh Fáilte an Aingil. Aicíd orthu! Bhí an tosach ag na clochair orm. Thugas seáp buille faoin téad agus bhaineas an-tarrac as; ach má dhein níor choinníos an téad ach ligeas uaim suas an túr arís é. Cling níor chlos! Tharla sé seo trí huaire agus tháinig idir eagla is náire orm. Ansin chuimhníos gurbh é an rud a dheinimís nuair a bhíomar óg ná léim ar an téad agus gan é a scaoileadh as ár ngreim go dtí go gcloisfimís an chling thuas.

Sea, a dhuine, thugas léim ruthaig amháin faoin téad agus ó dhe, mo léir, chuireas tormán miotalach bodhar amach thar díonta is simnéithe an bhaile a bhainfeadh céir as cluasaibh i bhfad is i ngearr. Ní raibh aga agam bheith mustrach mar chuala rud eile – cibeal is cliotar anuas an túr chugam agus macalla á bhaint as na biomaí adhmaid. An clog chugam! Léimeas mar a léimfeadh cat beirithe. Bhuail rud éigin leaca an urláir is dhein smionagar díobh.

Bhain an tuargaint crith as an eaglais ar fad. Leath mo bhéal orm is ghreamaigh mo chroí im scornach. Bollán de chloch rua a bhí ann is toit ghorm ag éirí as. Dá bhfanfainn mar a raibh agam bhíos im phleist, a dhuine, im phleist!

Bhí an-chúram orm is mé ag féachaint suas an túr an turas seo. Chonac go raibh an chloch rua seo tar éis cipíní a dhéanamh de dhá chomhla bhreátha adhmaid agus spící solais tríothu aníos. Seo isteach fear bhuailte an chloig. 'Chuala torann millteanach, canath...' Stop sé amhail is gur pléascadh sa phus é.

D'fhéach sé ar phraiseach an urláir. Sligreach déanta de na leaca, an chloch rua ina spallaí. Thóg sé a cheann is thug tamall ag féachaint suas trí dhorchadas an túir. Agus, ar ndóigh, as sin ormsa. 'Croch ard lá gaoithe chugam más fíor a bhfeicim.' Ní dúirt sé ach an méid sin. Mhíníos dó chomh cruinn is a d'fhéadfainn cad a bhí tarlaithe.

'Míle míchothrom ort! Tá tú sé chloch déag má tá an t-unsa ionat in aon chor. Cad a bhí fút, an túr a leagadh orainn?'

Is ansin a thosaigh an scéal ag dul sa mhuileann i gceart air. Chúlaigh sé isteach sa chúinne is chlúdaigh a aghaidh lena bhosa. Labhair sé ansin is bhí rud beag de mheamhlach linbh ar a chuid cainte. 'Níor chuireas cos amú ó thánag anseo ach gach aon rud mar a hiarradh orm. Cad déarfaidh mé leis an Athair Maití, an cloigtheach ina chis-ar-easair, agus inné a deisíodh an clog agus...'

Sall liom go tapaidh is thugas amach as an gcúinne é.

'An clog deisithe! Cé dheisigh é?'

'Neid. Deartháir an Athar Maití.'

'Aha! Aha! An deartháir! Dabht ní dhéanfainn de, mhuis, an deartháir!' An seanscéal céanna go deo deo. Bhraitheas údarás chugam agus chun cur leis an údarás bhaineas tarrac as an téad. Ach má dhein thit sé is thosaigh sé ag cuailleáil ar an urlár. Ba leor féachaint ghrod chiútáilte amháin suas an túr. Dhera, a dhuine, d'fhágas an áit im splanc. Bhuail ceann na téide mo dhuine ar phlaosc a chinn ach is baol liom go raibh sclóin ceangailte den téad. Bhí an t-ádh leis mar dá mba sclóin uimhir a trí a bhuail é bheadh an gabhar róstaithe aige.

Bhí an cloigeann ag cur fola aige ach ní rabhas-sa chun é a rá leis, ní rabhas, ambaist! Faoin am seo bhí a aghaidh ina bhosaibh agus mo chuid airgid ag gobadh astu. Shleamhnaíos amach as na méara dhá nóta puint is nóta deich scillinge. Thug sé an chuid eile dom i réalacha is flóiríní. Bheartaíos láithreach go gceannóinn seacht ngalún peitril leis an méid seo, agus nuair a bhuailfinn Miosc bheadh dóthain fágtha do cholmóir is *chips* dúbailte, agus seacht gcinn de phiontaibh bhreátha bhuíocha – rud a chuir sceitimíní tnútháin orm, a dhuine.

Mar sin féin bhí sé in am agam caoi éigin a chur ar scéal seo na heaglaise. Chuas ag áiteamh air ach focal ní labharfadh sé. Ansin chuireas ar a shúilibh dhó go gcaithfimís dul suas go dtí an clog chun an téad a cheangal de arís.

'Ní raghaidh mé in aice aon chloig,' ar seisean d'uaill agus an aghaidh fós i bhfolach aige. 'Ní fhaca riamh é!'

'An clog? Ní fhaca tú riamh an clog agus tusa fear a bhuailte!' Bhog sé an ceann go mall anonn is anall. Chreideas é.

'Féach,' arsa mise, 'ní gá duit aon eagla a bheith ort mar táimse i gceannas anois. Bíodh a fhios agat go bhfuil an-eolas agamsa timpeall cloig. Cad dúraís ó chianaibh, an-iontaoibh agat asam, bhuel, tig leat bheith iontaobhach asamsa, a dhuine.' Mhíníos dó nach gcosnódh na leaca briste ach cúpla punt le deisiú dá mbeadh aithne aige ar an bhfear ceart – agus ní leithéid Neid a bhí i gceist agam. Aon uair ar thosaigh sé ag gearán, nó a dúirt sé 'Ní féidir liom é a dhéanamh' séard a chasas leis ná 'b'fhéidir gurbh fhearr leat dul ceangailte i Maití.' Chuireadh seo líonrith air.

Ar deireadh thiar bhaineamar an staighrín amach agus seo linn suas céim ar chéim. Leath slí suas fuaireas amach canathaobh ná faca sé an clog riamh – bhí mo dhuine ina *acrophobe*. B'éigean dom é a bhrú romham an tslí ar fad go seoimrín an chloig – dá mbeadh lucht féachana ann bhíos im sheó bóthair aige.

Cé nach raibh dóthain slí don bheirt againn thugas faoi deara cad a bhí cearr. Róláidir ar fad a bhíos nuair a tharraingíos an téad. Bhíos tar éis an clog a iompó tóin os citeal agus ar chuma éigin bhí sé tar éis mant a bhaint as an *cornicing* agus é a chaitheamh síos an túr orm. Ar a shlí síos is amhlaidh a chuir sé fearsaid an chloig as alt. Thuigeas ansin go gcaithfimís an scéal a cheartú, rud a d'fhéadfainnse a dhéanamh gan stró.

'Tá fearsaid an chloig as alt, caithfimid é a dheisiú,' arsa mise ach ní bhfuaireas aon toradh. Bhí sé ansiúd agus an aghaidh folaithe sna lámha aige. 'Tá tú *alright* anseo, a bhuachaill, oscail do shúile, ní baol duit,' arsa mise.

'Ní dhéanfad,' ar seisean, 'táim scanraithe roimh...'

'Roimh airde?'

'Ní hea, a bhuachaill, ach roimh an talamh a fheiscint uaim síos. Is amhlaidh a léimfinn.' Agus léimfeadh an diabhal. Bhí beagán cúir bailithe ar chúinne amháin dá bhéal.

'Conas a dheiseoimid é muna n-osclaíonn tú na súile?'

'Bhuel, beidh sé gan deisiú más ea,' agus thuigeas go

raibh sé i ndáiríre.

'Cac is oinniúin air mar scéal, nílim ach ag cabhrú leat!' Aon toradh! Shocraíos láithreach go gcaithfimís é a dhéanamh agus gan ach an t-aon pheidhre súl againn. Sall liom chuige ag tláithínteacht leis. Rugas ar ghualainn air – mar a dhéanfadh deartháir. 'Tá an ceart ar fad agat, coinnigh dúnta na súile. Taispeánfaidh mise duit cá gcuirfir na lámha.' Thógas a lámha is tar éis tamaill fhada d'éirigh linn ceann na fearsaide a bhaint amach. 'Beir air anois,' arsa mise, 'go maith, tóg é beagán anois, maith an fear, táimid réidh, más ea.' Chuas ansin go dtí an taobh eile agus rugas féin ar cheann eile na fearsaide. 'Ní thógfaidh sé seo i bhfad, ach ar do bhás ná scaoil uait ceann na fearsaide, an gcloiseann tú mé?' Chuala freagra éigin ná raibh ach ina ghlothar.

Rugas ar an bhfearsaid is thógas beagán é. 'Tóg aníos do thaobhsa beagán, go breá réidh.' Rud a dhein gan stró. 'Anois táim chun mo thaobhsa a thógaint arís ach fan-se mar a bhfuil agat.' Thógas mo thaobhsa dhá orlach nó mar sin. 'Chríost, sall leis an gclog ag sleamhnú faid na fearsaide go taobh mo dhuine. Bhéic sé, agus as go brách lenár gcloigín síos scornach an túir, agus gach aon tuargaint aige ar a raibh fágtha de na comhlaí adhmaid. Bhéic sé arís. Bhéic mise.

'Cad ba ghá dhuit é a scaoileadh uait?,' agus díreach ag an nóiméad sin bhuail an clog an t-urlár thíos. Bhuel, ba bheag nár shéid an pléascadh an séipéal de bharr an chnoic. Chlúdaíos na cluasa. Léim na píosaí miotail beagnach chomh fada suas linne. Nuair a thiteadar sin bhí a thuilleadh ruaille buaille. Agus ansin an ciúineas. Mar reilig. Agus ansin a raibh de dhoirse i mBaile Aille Liú ag oscailt agus an mhuintir ag éirí amach agus an ruathar bróg suas na steipeanna go dtí an eaglais. Líonadar isteach sa chloigtheach is d'fhéachadar suas, gach béal acu ar leathadh. Dá gcaithfeá buicéad prátaí anuas orthu thachtfaí a leath.

Sall liom go dtí mo dhuine a bhí anois ag meamhlaigh mar leanbh. Rugas ar ghualainn air. 'An gcreideann tú i nDia?'

'Creidim.' Bhí sé nach mór ina aon bhall amháin creatha, 'ach seo é deireadh an tsaoil.'

'Ní hea in aon chor. Bhí deireadh an tsaoil ann na billiúin bliain ó shin.'

'Agus cá bhfuilimid anois?'

'In ifreann. Táimid in ifreann, bhí, tá, is beidh i gcónaí. Tráth dá raibh bhíomar ar an saol pé áit ina raibh sé ach chacamar ar an scéal agus cuireadh síos anseo sinn.' D'oscail sé na súile, agus d'fhéach orm go faiteach. Ansin d'fhéach sé suas ar an díon. Dhíríos mo lámh síos an túr, 'ná féach síos ansin.' D'fhéach! Lig sé béic as is láithreach dhein sé é féin a chnuchairt isteach sa chúinne mar ghráinneog.

Chorraigh an slua thíos, scoilteadar ina dhá leath, agus sheas fear mór ard i bhfeisteas sagairt i lár baill. D'fhéach sé suas ach bhí sé ródhorcha le mé a fheiscint.

'Ohó, ohó,' arsa mise, 'cé atá chugainn ach Matt the Thrasher macánta,' agus chuir rud éigin ag gáire mé. Lig mo dhuine cnead as is dhein iarracht ar liathróidín a dhéanamh de féin.

Chualamar na coiscéimeanna ina gceann is ina gceann an staighrín aníos chugainn. Chuaigh a bhfothrom i méid. Thóg mo dhuine a cheann is scairt sé orm. 'In ainm Dé cad é an mí-ádh a sheol chugam tú?' Ní bhfuaireas aga ar é a fhreagairt mar seo isteach chugainn an sagart paróiste.

Bhí an mhíchéatacht úd ar a aghaidh atá go mór i bhfabhar i measc lucht eaglaise. Bhí sé an-ard – a hata suas leis an síleáil. D'fhéach sé ar an mbeirt againn.

'Tá sé seo ag dul thar fóir, Shea!' agus shéid a anáil poimp i measc na bhfocal.

'Go breá bog ar do mhaidí anois, a Mhattser,' arsa mise. Thit an tóin as an aghaidh aige – baineadh siar as chomh mór sin. Leanas liom, 'ní raibh aon bhaint ag an bhfear macánta seo leis an scéal.'

'Cé hé seo, Shea?' Seile ba ea gach focal díobh, go mór mór Shea. Dhein fear an chloig únfairt éigin sa chúinne.

'Á mhuise, a Mhaití, a bhuachaill,' arsa mise, 'tá an cleas sin ar eolas go maith agam. Neid a dheisigh an clog, mar dhea! Sin í an obair a chodail amuigh. Seans gur fear deas é, ach tá's agam an saghas, ní fhágann sé aon rud a gcuireann sé lámh air gan mháchail. Maití, a bhuachaill, abair le Neid go bhfuil léite agamsa air go maith.'

Bhuel, dar a bhfuil de dhiabhail in ifreann ach mheasas gur taom croí a gheobhadh sé. Phléasc an cheist arís as. 'Shea, cé hé an bacach seo?' Ag an bpointe sin díreach mheasas go léimfeadh fear an chloig, ach níor dhein, dhein sé a thuilleadh cnuchairt air féin agus gheoin sé. Is mar sin a bhí sé, déarfainn, nuair a bhíodh na faoileáin á ionsaí.

D'éiríos is chuireas cuma na himeachta orm féin mar bhí mo chuid oibre anseo déanta agam. 'Cara mé le muintir Shé, Mattser, ní rabhas-sa ach ag cabhrú,' agus ghluaiseas go grástúil thairis. Síos liom an staighrín trup, trup. Agus mé ag fágaint an chloigthí b'é a chuala ná, 'Shea, thógas isteach anseo thú nuair ná raibh ort ach na ceirteacha. An bhfuil a fhios agat cad táim chun a dhéanamh?' Síos na steipeanna liom. Ní rabhas cinnte ar fad cad a dhéanfadh Maití. Ach i gcás fhear an chloig de bhí sé soiléir.

Amach liom ar phríomhshráid Bhaile Aille Liú agus
táthairí ag screadadh na nuachta. Cheannaíos an 'Echo '
agus siúd trasna an chéad leathanaigh na cinnlínte ag
fógairt 'Géilleann Khrushchev'. Sea! Bhí sé cruthaithe –
bhíomar in ifreann. Mar tá ifreann buan, agus caithimidne,
aos ifrinn, a bheith buan dá réir.

Fuaireas peitreal, thugas féachaint amháin ar Bhaile
Aille Liú agus gheallas dom féin ná raibh aon leigheas ar
an scéal ach galún iomlán den mheidhir chúránach ag
ceann na scríbe. Agus as go brách liom trasna na Mumhan.
Thugas faoi deara go raibh ceann de na Fords nua,
Cortina, romham sa tslí, ceann breá gorm, stialla *chrome*
leis na maotháin aige. Seanchreatlach de Hillman Imp atá
agam féin, ceann a bhfuil an tóin... Imp! Den chéad uair
riamh bhuail sé mé, an dtiteann sé leat? Ní haon timpiste é
go bhfuil Imp á thiomáint ag an aon duine a thuigeann gur
in ifreann dúinn.

Ach shantaíos an Cortina. Beidh ceann agam chomh
luath is a thosóidh na *breakers* á mbriseadh – timpeall na
bliana 1974. Ach seans go mbead marbh faoin am sin. An
corp, is é sin. Ach saolófar láithreach im leanbh arís mé, in
aon tír agus in aon aimsir is mian leo. Cá bhfios nó go
dtógfar i mbairille mé ar bharr na haille. Cheana féin
braithim scáthanna na gcaobach is iad á scaoileadh fúm.

Gadaithe

'Éirigh, a thaisce mo chroí, is dtí'n úllghort siar cuir díot, mar a bhfuil an ghrian ag díbirt an earraigh de thorthaí, is Maimeo ina suí faoi leithead an lae. Is más oscailte dá radharc ar ghealas an tsaoil, abairse léi 'anocht sa spéir beidh bearna mar a mbíodh an réalt úd ar sceanadh tráth'. Ach más trom a hanáil i dtaibhreamh a sean-ógh, fan leat go bhfille sí ar an úlldomhan.'

Don úllghort ghabhas, is d'éist le taibhreamh spéirghealaí Mhaimeo; is leis na feithidí ag tochras na gclog sa bhféar tur. Seanasal as faoin *lilac* d'fhair sinn, is b'ionadh liom daonscing a shúl, is a eirbeall ag clipeadh na scáth de ghéagaibh. Gach snapadh ag gadhar ar bheacha curtha dá dtreoir ag ilmhilseacht úllghoirt. Gríos-silíní d'itheas, pluma is dhá shú craobh, is as barr an chrainn an chéirseach scaoil a rann:

> A ghrís gach úill is a úill gach grís,
> Scaipeas bhur mos ar aer,
> Ar an domhan mall cruinn 'sea lingfidh sibh,
> Mar den domhan mall cruinn gach caor,
> Díreach, cam is cruinn anuas,
> Úll is crann is duine,
> Mar a gcomórfadh bás i bhfuath-anás,
> Siar go heireaball linne.

D'éalaigh scáth na ngéag gur thit ar aghaidh Mhaimeo, gur dhúisigh sí is gur chuala sí go raibh réalt i ndiaidh titim. 'Barra réalt chonac á dtreascairt, is a dtitim ag bochtú na spéire. Cá miste dom ceann breise' ar sise á díriú féin. 'Seo, fágaimís goimh na gréine ag na torthaí atá ina gá, is bainimís amach fionnuaire an dóláis.'

Rug sí ar lámh orm is sheol go doras an tí mé mar ar uraigh a scáth an chistin. Bhuail sí isteach. D'éirigh a raibh istigh, is tháinig m'athair chuici is chuir caint uirthi, 'an gleann tréigthe ag croí eile, a mháithrín ó.'

Labhair Donncha Breac Mac Gearailt, gaol gairid, léi. 'A Mháire Mhuiris Thaidhg, d'fhuil uasal na gCarrthach Samhna, gura fada buan don chroí úd ag bualadh i gcroí an alltair.'

D'fhreagair Maimeo. 'Níl poll ann, dá mhéid, do chroí dá leithéid, ach bánta cumha na síoraíochta. Féach an tréan ar lár! Mar sin atá sé scríofa. Croí eile ar lár, beirimís urraim do na mairbh.' D'éist a raibh sa teach, is roinn gach tic ón gclog an tost – scair ghlan an duine againn. Ghluais sí trasna an urláir, gur sháigh sí méar cham trí laitís an chloig, gur cheap sí an tormán práis i lár toca. De phreib bhí an tost teite, agus ba í fuaim a chualathas ná fuaim tuirnín ina stailc. Ansin síos léi chun an tseomra. Níor labhair éinne mar sa ghleann seo againne is lenár gciúnas a ghéilltear urraim.

D'fhill sí is chuir caint ar lucht na cistine. 'Nach feasach daoibh conas ómós a bhreith do na mairbh? Nach feasach daoibh go bhfuil a shúile gan iamh ar náire an tsaoil seo? Iatar anuas go brách na mogaill ar a dhomhan roscdhéanta. Tugtar boinn dom atá trom; beirtear onóir dá shúile le seanairgead.'

Chuathas ina nduine is ina nduine de réir gaoil chun slán a fhágáil ag Daideo: a mhuintir féin, muintir mo mháthar, comharsana, cairde. Agus ansin na rudaí beaga. 'Téirse go dtí do Dhaideo,' ar sise, 'is póg an cloigeann a thug gean duit thar chách. Mar istoíche chaintíodh sibh an teas as an tine, is do líon sé do mheabhair le heolas chomh sean leis na goirt.'

Ba gheal liom a dtost in onóir dom is mé ag dul faoi dhéin an tseomra. Faoi chuilt paistí a bhí sé. Bhí eolas pearsanta agam ar chuid mhaith de na paistí céanna ina 'mbeatha' dóibh: corda an rí liathdhonn óm sheanchasóg, muislín dearg ó bhlús, ceaileacó uaine ó chuirtín, poiplín gorm ó léine, bréidín liath ó veist, síoda bándearg ó chóta-leath-istigh, línéadach odhar ó éadach boird, sról bán ó ghúna pósta, veilbhit oráiste ó adhairtín, olann donn ó scairf, carbhat órga, breac faoina dhá dhorn. Marmar fuar ón teampall a aghaidh, gruaig is féasóg in aimhréidh liath. Agus mar a raibh dhá shúil, dhá bhonn d'airgead geal, ceann acu agus stail air agus na focail scríofa air 'leathchoróin'; 'Éire, 1947' scríofa ar an gceann eile. Solas na fuinneoige ag fústráil timpeall a chloiginn.

Go tobann sciorr an stail a leiceann anuas, is léim de ghliogar trasna an urláir; ghreamaigh an ghrian de shúil donn a chuir béimghríos siar go cúl mo chinn. Fuar-rosc ón alltar ba ea é. Screadas is rásaíos suas chun an tinteáin. D'fhógraíos nárbh é Daideo a bhí ann ach duine eile. Cá raibh Daideo? Leanas den bhéiceach gur fháisc mo mháthair lena croí mé. 'Éist!' ar sise, 'níor imigh seoid á bharra ort, agus féach gur Daideo atá ann mar tá sé marbh.' Ansin a thuigeas. D'fhéachas im thimpeall agus scard orm. Sea, ní bheadh sé romham cois tine anocht. Ná aon oíche eile. D'fhás an t-eagla ionam, agus d'fhaireas na haghaidheanna im thimpeall sa chistin.. Cé a dhéanfadh mé a chosaint anois? Ghabh freang tríom.

Seo ar ais Maimeo agus í an-ghearánach orainn. 'Chonac náire tráth i dteach tórraimh mar a raibh fear ar thug tarbh adharc dó agus é tar éis dhá uair a' chloig a thabhairt ag stánadh ar splinc na spéire sara bhfuaireadar é. Thug sé oíche an tórraimh ag caitheamh pinginí san aer. Mór an náire, mór an náire! Nach feasach daoibh gurb iad mogaill na súl tearmann deiridh an anama ghlic agus gur le miotal fuar amháin a bhogtar chun siúil é.'

D'imigh na fir ag ól sa déirí. M'athair go dtí na ba. Ní raibh fágtha ach mná. Sciuirdeadar de thapaigean chun gnótha mar a dhéanfadh mná. Tógadh amach scuabanna, mapanna, sciomarthóirí, ceirteacha, buicéid uisce, gallúnach charbólach. Crochadh cuirtiní ar an bhfuinneog. Caitheadh cuiginn, buicéad sciodair, málaí mine agus madraí amach an doras iata. Isteach doras an tí tháinig na comharsana agus iasachtaí áraistí acu dúinn. Hainí na hEisce Ní Shé agus mias *willow* mhór gheal aici. Cuireadh ar a faobhar ar an drisiúr é. 'Beannacht leis an té a cheannaigh é is leis an mbean a thug léi é,' arsa mo mháthair. Spúnóga d'airgead geal ó Neil N'fheadar Ní Laoire. Síle na Duimhche Ní Shúilleabháin agus línéadach bán don bhord aici; Nóiní Bhrothall Ní Mhurchú le mias d'airgead geal ar a raibh cloigeann uachtarán éigin Mheiriceá; cuireadh le mórtas i lár an bhoird í. Trí phunt tae, coinnleoir práis agus trí smuta dhearga den Nollaig fós iontu ó Ghobnait an Choinicéir Ní Fhoghlú; ach nuair a tháinig Eibhlín *Genitive Case* Ní Mhuineacháin (clann an mháistir) leis na gloiní póirt scoir gach éinne dá ghnó chun féachaint orthu. Ba de chriostal iad agus glioscarnach ghloine bhriste á cur uathu. Coinneal reo fhada chaol gach cos.

D'fhéach mo mháthair chomh tnúthánach sin orthu gur thuigeas go malartódh sí mé ar dhosaen acu. 'Nach triopallach atáid!' arsa bean díobh, 'ach an seasóidh siad an deoch?'

Ghabh trucail isteach san iothlann agus arán, subh, sac pórtair, uisce beatha, tobac, agus póirt do na mná is na

páistí ar bord ann. Leath Seáiní na gCreach Ó Ceallaigh
urlár coille de raithneach ar fud na gcarn aoiligh, gur dhein
farraige chumhra ghlas díobh.

Bhíogas de phreib. An Gadaí Rua! Bhí Daideo, seanchaí,
tar éis é a fhágáil i mbarr crainn aréir sarar thit a chodladh
air cois tine. Bhí cait mhóra ag bun an chrainn. Bhíodar
fíochmhar. 'Cad a tharla don Ghadaí Rua?' arsa mise.
Toradh ní bhfuaireas. Bhéiceas orthu, 'cad a tharla don
Ghadaí Rua?'

'Cad tá ar an ngarsún?' arsa bean acu.

D'insíos dóibh. 'Níl ann ach scéal,' arsa mo mháthair, is
ghéaraigh sí ar an sciomradh. D'impíos orthu é a insint
dom, mar gadaí maith ba ea é a dhein mé a mhealladh lena
chuid gaisce is draíochta oíche as a chéile. Ach thug
Maimeo aghaidh orm.

'Níl ach gadaí amháin sa teach seo anocht is tiocfaidh sé
orainn amach anseo is ardóidh sé leis an snas as ár súil,
duine ar dhuine.'

I gceann tamaill d'fhiafraíos díobh an mbéarfadh na cait
mhóra air. I ngéire a chuaigh an sciomradh, deora allais
óm mháthair ar an urlár anuas. Ansin stad sí is labhair sí
leis na mná. 'A mhná uaisle, ní hé seo an t-ionú chuige
agus Daideo ag dul i bhfad is i bhfuaire uainn, ach is
amhlaidh a líon sé meabhair an gharsúin sin le seafóid is
scéalta ón seanshaol. É ar fad sa Ghaeilge. Níl focal Béarla
ina phluic aige. Cad a dhéanfaimid leis in aon chor agus
teanga an Bhéarla ag gabháil stealladh ar an ngleann, is
gach cnag aige ar an doras mar a bheadh seirbheálaí
barántais. Cheana féin tá Súilleabhánaigh Crón na Scríne
tite leis. Is níl le clos anois le hais a dtinteáin ach an teanga
ghallda. An bhfuilimidne Carrthaigh le bheith in eirbeall
an fhaisin? Is bocht is is crua an scéal é ach sin mar atá.'

D'fhreagair Cáit Casúr Ní Chinnéide. 'Sea, chomh
siúráilte is a ghluaiseann ceo de dhroim an tsléibhe anuas,
seo aníos chugainn níos ciúine fós an Béarla. I gcuntais Dé
ach is glóraí solas na gealaí ná an Béarla ag snámh trasna
na tíre.'

Lean mo mháthair den sciomradh is den ghearán, 'agus
scéalta agus seanráite agus rannta, iad ar fad sa Ghaeilge!'
Bhain sí na timpill as an scuaibín agus ba é an snas a bhris
tríd an urlár amach ná snas an Bhéarla.

Chuas go dtí na fir sa déirí, d'inseoidís siúd dom é,
fearaibh iad na fearaibh. Bhíodar suite i bhfáinne, grian ag
tuirlingt ar na snaidhmeanna tobac. I measc na soithí
scimeála ar an mbord bhí uisce beatha. As sin amach
eagna na dí i gcomórtas le heagna na bhfear. 'Cad a tharla
don Ghadaí Rua?' arsa mise. Bhí na súile ar aon imir le
hómra na ngloiní. 'Cé hé an Gadaí Rua, airiú?' ar siad.
D'insíos dóibh. 'Á, gan aon agó, tá do mheabhair líonta le
hiontaisí na Gaeilge,' arsa duine acu. 'Sea,' arsa fear eile,
'chreach sé a raibh de scéalta ag an seanduine agus ní mór
a d'fhág sé do na muca.'

Labhair Muirisín Sioc Ó Cróinín agus faobhar ar a
chaint. 'An Béarla bradach seo, orlach eile ní ghéillfimíd,
gach éinne againn is a anam suite ar a ghualainn aige.'

D'ól gach éinne a shláinte cé nár thuigeadar ar fad an
rud a dúirt sé. Ach bhuail Séamaisín na hInise a cheann
faoi is dúirt, ' An Béarla a throid, an ea? Tá chomh maith
againn Dé Domhnaigh a throid, tá chomh maith againn na
scátha ar na clocha teampaill a throid. Ní bhfuaireamarna,
Gaeil, riamh ach an briseadh.'

Cúngaíodh an seomra, fairsingíodh ball iasachta den
domhan. Bhí an buidéal dulta i ndísc. 'Cad a tharla don
Ghadaí Rua?' 'D'itheadar é,' arsa duine acu. 'Stracadar na

súile as,' arsa duine eile. 'Ach gadaí maith ba ea é,' arsa mise. 'Gach gadaí níos measa ná a chéile. Croch ard lá gaoithe chucu!' 'Ach dúirt Daideo ...' 'Tá Seán Mhuiris Thaidhg i measc na bhfear. Thug sé leis do ghadaí-se. Fág na mairbh ina suan. Seo leat, a theallaire, bí ag súgradh led choileán, is fág againn ár rámhaille.' 'Abair é,' ar siad. Rug Diarmaid, deartháir m'athar, ar lámh orm is sheol siar go dtí an scioból mé.

Ba dheas an fhuaim é spóladh tur na scine féir. Sheas sé is ghlan sé an t-allas dá éadan. 'Tuairisc ar do ghadaí níl agam. Chuiris uaisleacht na bhfear as a riocht, is chuiris mairg orthu. Tá réiteach do cheiste thíos cois an teampaill sínte agus is ann a bheidh sé go Lá Philib a' Chleite. Sea go díreach, is cá miste dúinn a thúisce. In áit éigin anois ar an sliabh úd thall tá cloch agus ár sloinnte greanta air. Seo leat, a Ghabriel, séid leat do thrumpa anois nó fill chugat go deo é.'

Bhí m'athair ag tabhairt féir do na ba. Sheas sé taobh le riabhach mhaol darbh ainm Bainbhín, á slíocadh. Ansin d'fhéach sé orm, 'trí ní nach mór a fhaire: crúb capaill, adharc bó, gáire an tSasanaigh.'

Seo isteach i gcró na mbó mo mháthair agus coinnleoir tórraimh á shnasadh aici. 'Tá an saol athraithe ó anocht. Amárach caithfidh an garsún seo an Béarla a labhairt.' Thug m'athair a dhrom léi. 'Níl puinn den teanga sin againn,' ar seisean. Thóg mo mháthair coiscéim níos gaire. 'Tá an t-aer ramhar le Béarla.'

Ghlan m'athair síolta féir de mhuin an tairbh. 'An airíonn sibh mé?' ar sise, nuair a bhraith sí ár neamhshuim. 'Ní raibh Béarla riamh sa tigh seo, ní raibh ná a scáth, buíochas le Dia geal na Glóire.' Níor thug sí aon toradh air ach labhair sí liomsa. 'A thaisce gheal mo chroí,

seo mo chéad fholáireamh duit sa teanga ghallda: from on
the morning out d'Inglis tongue only vill you spik – spik
alvays d'Inglis. Ar airís m'fholáireamh?'

Chroitheas mo cheann uirthi. Níor thuigeas cad dúirt sí
ach bhraitheas gurbh í an teanga a sciomair sí den urlár.
'Tá's agam nach bhfuil sé curtha rómhaith agam mar tá
mo chuid focal gallda chomh gann le silíní Nollag,' ar sise.
D'fhéach sí orm ag iarraidh mé a léamh. 'Is bocht an scéal
é, a lao, ach cad is féidir a dhéanamh?' Rith na deora léi, is
dheineas miongháire is chroitheas mo cheann uirthi.
D'fhéach sí ar an bhfear le hais an tairbh, 'ar airís cad dúrt,
a Dhaid?'

Chuir sé gigleas faoi chluasa an tairbh, is labhair leis an
bhfalla. 'Tráth dá raibh bhí muintir sa ghleann seo is
thriomódh a gcuid gáire éadaí duit.'

'Ní beag sin de, tráth dá raibh, tá aghaidh an gharsúin
seo ar fharraige mhór an Bhéarla – an ligfeá amach é i
mbáidín briste?'

'Tráth dá raibh ba ríthe sinn.' B'in a dúirt sé.

'Ní beag sin de ríthe! Táimid bocht is níl againn ach féar
sé bhó. Saol na ngailseach faoi chlocha againn.'

Shlíoc m'athair muin an tairbh. Bhí maidhm an chochaill
á thachtadh ach ní leomhfadh sé aghaidh bhéil a thabhairt
ar Mham im láthairse. Shníomh sé a chuid focal, 'Mustar
na gCaisleán orainn tráth dá raibh, ach dhein gráinní
gainimhe gan chomhaireamh de.' Chaolaigh ar ghuth mo
mháthar, 'nimheoidh do bhaothchaint a mheabhair orainn
is cuirfir i mbaol é. Ní beag sin de shean-seo is shean-siúd,
sheanaiteann, sheanríthe, sheanrannta. Táim torrach de
sheandacht is de laochra. Is deise liom unsa den lá inniu
ná tonna den bhliain seo caite.' Dhruid sí im leith is rug ar
lámh orm. 'Tógfaidh mo mhacsa a cheann chomh hard le

duine fós.'

D'iompaigh sé uirthi don chéad uair, ní lena ghuth ach lena shúile. 'Is airde a cheann ná cách, airde na gCarrthach de mhóráil air.'

'Chomh hard sin? Is sna scamaill a bheidh a cheann agat mar sin. Faireadh sé na beanna fuara, más ea!' agus d'oscail sí doras chró na mbó. D'fhan sí nóiméad gan chorraí, an coinnleoir airgid ina lámh go bagrach. 'Ón gcéad amhscarthanach de sholas mhaidin an lae amárach an teanga ghallda amháin. Siolla amháin as reilig na nGael ná cloisim.' Shiúil sí amach ach chas ar ais láithreach. 'Ar inis tú dod mhac canathaobh gur tugadh Carrthaigh Samhna oraibh?' Thug sí aghaidh orm is labhair go fuar, 'briseadh orthu Samhain 1599 ag na Niallaigh.'

Sháraigh an brú ar an bhfoighne ag m'athair is seo chuici de sheáp é. Ach faiteadh súile níor ghéill sí dó. D'fhéach sé orm chun nach dtachtfadh sé í. 'Sea,' ar seisean, 'ár gcaisleáin leagtha is iad trí thine ach níor briseadh orainn. Féach isteach im shúile, a thaisce dhílis, an bhfeiceann tú ann an briseadh?' D'fhéachas ar an bhfear seo a bhí dhá scór bliain d'aois, ar an gcabhail a bhí rómhór dá chuid éadaigh, ar an éadach a bhí róbheag do na paistí. Ar na súile. Is ní fhaca aon bhriseadh, ach tairne i mbeo.

'Hu!' arsa Mam, 'caisleán na gCarrthach ag titim, cairn aoiligh na gCarrthach ag éirí.'

D'fhéach sé ar feadh tamaill ar an talamh, ansin dhírigh sé é féin, is dúirt: 'Thugas i leith anseo thú ó Fhearann Giolcach Thoir, áit ná fásann crann ann. Is mairg an talamh ná fásfaidh crann mar ná géillfidh sé suas an uaisleacht ach chomh beag,' agus ghlan sé leis amach ar an tsráid. Dhruid mo mháthair liom is rug barróg orm, is dúirt, 'chuas thar fóir, cad is féidir liom a dhéanamh. Is geal leosan tú ach is mise a chaithfidh féachaint id dhiaidh. Tá an saol ar tuathal,' is d'fháisc sí léi mé níos mó; agus mheasas nach mise a bhí á fháscadh aici ach rud a taibhríodh di, nó eachtra, malairt bheatha, b'fhéidir, nach bhfáiscfeadh sí léi go deo sa saol seo. D'éalaigh sí léi is d'iaigh an doras go bog ina diaidh.

D'fhill m'athair, gur sheas i measc na mbó. Bhí impí sa bhféachaint a thug sé orm. Chas sé uaim is d'fhéach ina thimpeall. Nuair a labhair sé bhearr a smacht colg na bhfocal. Thiteadar ar an talamh. 'Tóg uaim mo chuid focal is cuirfidh mé mallacht ar mhuintir an domhain.' Suas is anuas an cró leis. 'An mhuintir thar béal an ghleanna seo amach a thug a ndrom lena bhfuil féin, chomh fada thuaidh le Droichidín an Fhústair is as sin soir go Magh Ealla, níl iontu ach priompalláin. Ar airís riamh teacht thar an seanrá 'dá airdeacht a éiríonn an priompallán is sa chac a thiteann sé ar deireadh.' Lig sé osna.

'Sea, a Dhaid, ach dúirt Mam...'

'Mam!' ar seisean, agus straidhn ar na focail. 'Ar airís riamh an seanrann:

> *Trí ní ag faire mo bháis,*
> *Mairim gach lá im ghiall,*
> *Croch iad go hard, a Chríost,*
> *Béarla, bean is diabhal.'*

'A Dhaid, led thoil ...' ach stop sé mé lena lámh in airde.

'Ná téadh brí na bhfocal amú ort. Is geal linn na mná agus is geal leo sinn ach is eagal liom go bhfuil lá den tseachtain de dhíth orthu.'

Chuir a ndúirt sé buairt orm agus dheineas tathant air bheith sámh. 'Lig dom silíní a thabhairt chugat ón úllghort.'

Shuigh sé ar stóilín. 'An bhfuil a fhios agat gur ó na nithe beaga rabhnáilte mar silíní a thagann iontaisí an tsaoil seo. Ar insíos riamh duit na cúig ní rabhnáilte is deise amuigh? Boladh na n-úll, blas póige, teas scillinge id dhorn, cara a fheiscint ar bharr cnoic, súgradh na gcoileán a chlos.' Thit tost ar an gcró. Bainne mífhoighneach ag sileadh de na húthanna ar an tuí. Búirtheach toll ón tarbh a chuir an doras ag canrán. In áit éigin bhí an ghrian ag dul faoi agus na simnéithe ag sá a scáthanna trí raithneach na gcarn aoiligh. Bhí an domhan ag stolpadh. Ach sara stopfadh sé go deo bhí eolas uaim. Chuireas mo cheist. Dhein sé a cheann a thochas agus dúirt nár chuala sé faoina leithéid riamh. 'Nach ait an feidhre sinn, duine ag déanamh cumha an ghadaí rua is duine an gadaí dubh.'

'Cé hé an gadaí dubh?' arsa mise. D'éirigh sé is d'imigh sé go béal an dorais is chuir a ghuala le hursain.

'Nach bhfuil a fhios agat gurb é an seanchaí an Gadaí Dubh? Mar tagann sé i measc na ndaoine i rith an gheimhridh is goideann sé uathu an duairceas lena chuid scéalta. Ar ball brostófar an gadaí dubh deiridh an portach trasna go dtí an teampall. Agus anois tá an oíche fhada ag tuirlingt ar an nGaeltacht, is go deo arís ní fhillfidh an Gadaí Dubh chun í a ardú leis.' Chas sé uaim is ghluais sé síos tríd an iothlann, trí bhéal an gheata amach, suas ar an móinteán, fiáin go leor do anam ar bith.

Chuas go dtí an úllghort. Grian eile ag dul faoi laistiar de Shliabh Cam – sea, an méid sin bainte den tsíoraíocht. Sheasas faoin gcrann silíní agus d'fhéachas suas ar na géaga ab airde. Tharlódh go raibh an Gadaí Rua thuas ann in áit éigin. Agus d'fhéachas timpeall ar chros-chrochadh na dtorthaí is an duilliúir, is ní dúrt ach, 'póg duitse, a Ghadaí Dhuibh!' Agus bhaineas silín den chrann agus raideas uaim suas san aer é thar an *lilac* amach agus lean mo shúil é agus é ag casadh is ag imchasadh go gríosúil ar an domhan mall cruinn gur thuirling in áit ná feadar.

'Déithe Bhíodh Dár Mealladh Seal'

Reilly – an mac léinn, uimhir 21 i rang 6b, uimhir níocháin 247, uimhir 1 Club Ríomhaire, cléireach aifrinn 43, uimhir 11 i Suanlios Chiaráin – bhí sé náirithe os comhair an Choláiste.

Le cúig bliana anuas, bhí idir mhic léinn is fhoireann teagaisc curtha le gealaigh aige agus an síor-chraobhscaoileadh a dhéanadh sé ar an gcumannachas. Níorbh aon fhealsúnacht ag Reilly an cumannachas céanna – ceimic ba ea é. Nó breoiteacht, dar leis an Athair Healy. Cúig bliana roimhe sin, bhí sé molta ag Healy go seolfaí mo dhuine an loch amach ach mhínigh na húdaráis dó go raibh deireadh leis na laethanta sin.

D'fhan Reilly, agus a chuid déithe: Mao, Breznev, Ho Chi Min, Castro agus Che Guevara chun an fód a sheasamh i gcoinnibh 'fórsaí frithghníomhacha na sochaí buirgéisí': na bainc, Haughey, *Ireland's Own*, Dick Spring, *Business and Finance*, Bruton, Macra na Feirme, Giúdaigh – go mór mór Woody Allen, na Smurfits go léir, Comhcheilg Idirnáisiúnta na Freemasons (duine acu ba ea Alice Glenn, dar leis), an crannchur náisiúnta agus Glenroe.

Bhí sé an-tugtha do bheith ag séideadh cúis na Rubic Cubes; ba san Ungáir (tír Chumannach eile) a deineadh na Rubic Cubes. *Genius* ba ea Rubic. 'Agus daoine mar Rubic againn is gearr go mbeidh an domhan faoinár mbois againn', a deireadh sé. Nuair a thiocfadh an réabhlóid, ní dhoirtfí aon fhuil. Bhí deireadh leis na laethanta sin, dúirt sé. Ach dhéanfaí athruithe. Sea, athruithe.

Bhí sé tugtha do Connolly agus Larkin. Bhíodh pictiúirí díobh sáite idir na leathanaigh sa leabhar staire aige ach ba mhó de shlán faoi Healy iad ná de dhílseacht do na mairbh. Fear ba ea an tAthair Healy gurbh fhearr leis bheith i mbur cispheile ná staire. Ar a shon sin, bhí an stair o.k. – mura mbeadh Reilly! Mar bhí níos mó den stair léite ag Reilly ná ag Healy – agus Fraincis. Lá dá raibh Healy ag gabháil do Réabhlóid na Fraince, d'fhiafraigh dalta de canathaobh go mbíodh toscairí na Fraince ag bualadh le chéile in óstán – an Hotel de Ville. Dhein Healy machnamh doimhin ar an scéal.

'Ní fearra dhóibh áit a thoghfaidís. Bheadh sé *handy* chun fios a chur ar cheapairí, gan trácht ar an mbeár amuigh.'

B'éigean do Reilly é a cheartú. Mhínigh sé dó go beacht, nimhneach gurbh é an bhrí a bhí le Hotel de Ville ná Halla na Cathrach. Ba dhóigh leat ar Healy gur pléascadh sa phus é. D'fhéach an rang ar Reilly. Níor shéan seisean a sheans riamh chun an ceann is fearr a fháil ar Healy. Bhladhm súile Healy ar Reilly agus ceaptha sa splanc sin bhí síoraíocht den fhuath.

Ag imeacht ar bharraicíní a chos a bhí Reilly ón lá sin amach; chuir Healy deireadh le ceisteanna sa rang agus in ionad iad a mhúineadh is amhlaidh nach ndeineadh sé ach an diabhal leabhair a léamh dóibh mar a bheadh réamhfhaisnéis na haimsire. Méadaíodh ar an lucht leanúna a bhí ag Reilly – triúr nó ceathrar i ngach buíon bliana, daoine a mheas go raibh ceann ramhar na slaite á fháil acu ón saol.

Níor chuaigh an scéal i ngan fhios do na sagairt eile sa choláiste, a bhformhór i gcoinnibh Reilly. Bhí an tAthair Tangney ar dhuine acu. Bhí sé an-chríonna, dronn air is bata aige. Stopadh an seanduine Reilly sa dorchla.

'Reilly, an fíor gur thitis ar do chloigeann is tú óg?'

'Ní fíor!'

'Ba mhór an feall é, thitis an staighre anuas mar liathróid peile,' agus d'imíodh sé uaidh agus gach seitgháire as.

Lá eile stop beirt shagart, Cleary agus Fitzsimons, é sa pháirc imeartha.

'Ní thuigim cén gearán a bheadh agat ar an saol,' arsa an tAthair Cleary. 'Ní hé gurb amhlaidh go bhfuileann sibh dearóil ag baile. Tá féar fiche bó agaibh, cairéal gainimhe, siopa, agus dhá *phetrol pumps*! In aon tír chumannach arbh fhiú tír chumannach a thabhairt uirthi, dhéanfaí sibh a chrochadh as bheith *exploiting* na mbocht!'

Baineadh siar go maith as Reilly mar thuig sé go raibh sé fíor, ach in ionad glacadh leis go humhal is amhlaidh nach ligfeadh sé leo é.

'Sea, a Athair, agus ós rud é go bhfuil Honda Civic agat, ballraíocht i gclub gailf agat, *flat* galánta seascair agat, tarraingt ar bhéilí *gourmet* agat, agus fiche míle de thuarastal in aghaidh na bliana agat, is dóigh leat go bhfuil tú Críostúil! Níl aon dabht air ná go bhfuil ag éirí go maith leat do dhuine go bhfuil móid bhochtanais tugtha aige!' Bhí Cleary chomh gonta sin gurbh éigean do Fitzsimons teacht idir an bheirt acu.

Bhailigh Reilly go buacach leis go dtí an halla mór mar ar lig sé a ndúirt sé le Cleary le héinne a thabharfadh éisteacht dó. Chomh maith leis sin, thug sé uaidh saor in aisce cóipeanna de *The Decline of the Western World* le Vladimir Gerasimov, a gheibheadh sé i mbeart go rialta ón P.C.E. i mBaile Átha Cliath. Sea, bhí ag méadú ar na cairde aige, ach ní raibh aon chara aige a déarfadh leis gur mairg don té a bhuann rómhinic.

Thit rud éigin aisteach amach i rith an tsamhraidh, 1989 – sa domhan thoir bhí an corn á scaoileadh. Níor thóg Reilly aon cheann de gur fiafraíodh de cad a cheap sé de Chearnóg Tiananmen tar éis dó filleadh ó na laethe saoire. 'Dhera, ní raibh iontu ar fad ach scata de lucht 'iarraim-cúis' a thuill a bhfuaireadar,' a d'fhreagair sé. Chuir an freagra díomá ar an rang.

'Sin é díreach an freagra a thabharfadh Pinko,' arsa an tAthair Healy le fuaimint. Baisteadh Reilly láithreach bonn, Pinko Reilly. Agus rud níos measa 'Reilly's Pinkos' a thugtaí ar a lucht leanúna.

Gach lá ina dhiaidh sin, ní raibh sa rang staire ach fóram do bhás an chumannachais. Thugadh Healy beart páipéirí isteach ina ghabháil agus phléití an nuacht. Léirsithe i bhFrankfurt, a thuilleadh i Warsaw. Ruaigeadh Honecker, príomh-aire na hOir-Ghearmáine. Ansin tugadh faoin bhFalla, diaidh ar ndiaidh. Gach maidin, bhí an *video* ag Healy is nuair a bhí sé feicthe chuirtí an scéal go léir trí chéile. Bhíodh gach aon 'cad é seo, a dhuine,' acu ar Reilly. Reilly ar a dhícheall freagraí a choinneáil leo is a dhínit a chosaint ag an am céanna.

Ní fhéadfadh sé fianaise na súl a chreidiúint. Cá raibh an t-arm? Ní raibh na Rúisigh chun aon rud a dhéanamh ach oiread! Deile a tharlódh agus an stumpa meatacháin sin Gorbachev i gceannas?

Tháinig cuid dá lucht leanúna ag baint sásaimh dá gceann feadhna. 'Cé hiad na Stazi seo? Conas a d'fhéadfaidís siúd a bheith ina gCumannaigh mhaithe?'

'Ná bac na Stazi, Healy faoi ndear é seo, a deirim,' a déaradh sé leo. D'imídís leo ag tarraingt na scáth ina ndiaidh.

Lean na *video*anna, lean an cumannachas ag sceitheadh mar a bheadh seanstoca. Léirsithe i Sofia, sluaite ag fágaint na hUngáire, na Gulaganna á n-oscailt sa Rúis, is feadh na faide déithe Reilly ag léim dá b*pedestals*. Nuair a thréigeann na déithe thú, ní mór atá fágtha, ar seisean ina aigne féin.

Tháinig Quinlan is O'Meara, an bheirt ba dhíograisí dá lucht leanúna. 'Caithfidh tú rud éigin a dhéanamh, táimid go léir inár gceap magaidh acu.' D'fhéach sé ar Quinlan, mac na baintrí ó Mhiosc, lucht na caolchoda, ach mór i gcroí is anam. Agus O'Meara, lár slí i gclann mhór cois farraige thiar, is iad i gcónaí ag rith ar thanaíochaibh.

'Sea, déanfad sin, táim chun réiteach leis an mbastún sin Healy.'

'Ná bac Healy. Na Rúisigh! Cá bhfuil na Rúisigh?'

'Is é Healy é' ar seisean ag scaoileadh na bhfocal trí na fiacla, agus é ag féachaint orthu ag ealú uaidh. Thuig sé anois cás an cheannaire a thabharfadh a chuid fear isteach in *ambush*. Thug sé aghaidh láithreach ar an suanlios is chaith é féin ar an leaba – ach fós, deoir ní scarfadh leis.

Léigh Healy cuid de dhráma le V. Havel sa rang. Ba bheag nár thacht mórchúis an tsagairt an buachaill. Agus drochdhráma ba ea é chomh maith. Léigh sé staitistící ar ollchumannachas an domhain dóibh – ba é an scéal ná go raibh damáiste mór déanta acu. Lá éigin eile, d'inis sé dóibh faoin séipéal de chuid Eaglais Chaitliceach na hIar-Úcráine a athchoisriceadh. Bhí crith i nglór Healy is leath sé na lámha san aer. Chuir an deabhóid is an dúthracht fonn múisce ar Reilly. 'Priosláil chráifeach!' ar seisean ag bearradh na bhfocal. Má chuala an sagart é níor lig sé faic air mar bhí sé ag déanamh bearnaí ar an *memorare* d'athghabháil chríostúil na Rúise.

Más é Healy a leag anuas an domhan cumannach, ba é an Trabant a leag Reilly. Léigh Healy sliocht don rang ar an ngluaisteán 'two stroke' nár dhein ach smúit a shéideadh is an dúthaigh a bhodhrú lena ghleo. Dhein Reilly é a chosaint go fíochmhar. Dar leis, ní raibh ach slí amháin chun an Trabant a chosaint, b'in an Mercedes a ionsaí.

'Ní haon chathair mar a tuairisc é an Mercedes, ach chomh beag! *Scrap* atá ann, *scrap*, a deirim!' Díreach ag an bpointe sin, chaill Reilly a raibh fágtha dá lucht leanúna. As sin amach nuair a chíodh na buachaillí eile chucu é, ní dhéanaidís ach breith ar a srón is bheith ag bloscadh leo mar aithris ar Trabant.

'Thóg sé Marx, Engels is Réabhlóid na Rúise chun an Trabant a bhronnadh ar an saol! Slán beo mar a n-instear é!' arsa Healy. Gháir an rang go scléipeach is dhein Reilly iarracht ar é féin a chnuchairt ar shaol damnaithe seo Healy. Chun na fírinne a rá, bhí an scéal ag breith amuigh air chomh mór sin gur dhún an scáineadh sin idir saol is samhail ina aigne.

Lá Nollag, bhí Reilly sa bhaile i bhfeighil na b*petrol pumps* nuair a d'inis comharsa dó gur lámhachadh Ceaucescu agus a bhean. Le *stengun* a deineadh é. Dhein liúr de Reilly láithreach. Chúlaigh sé go dtína sheomra. D'fhéach sé amach ar an sliabh d'fheirm a bhí acu. Bhí sé ag cnagadh flichshneachta aneas. Lasc na tuáillí bána leacain an tsléibhe is ghabh de chlagarnach ar an díon *corrugated* go dtí go raibh an tigh ar bharr amháin creatha. Ar chuma éigin, ba é cliotar na síne ar an díon a las an pictiúr ina aigne, an bheirt acu le falla, eisean agus idir dóiteacht is déistin air, ise cinnte go stopfaí an rud seo go dtí gur chuala sí cnagadh an mhiotail nuair a baineadh an *safety catch*, is an líonrith a ghabh a croí is an rois focal a dingeadh ina scornach nuair a scaip an gunna iad ina coda beaga ar fud na síoraíochta. Agus chuala Reilly an liú áthais a tógadh ar fud an domhain agus thuig sé den chéad uair nach raibh sa chine daonna ar fad ach conairt fiaigh. Agus sin é an fáth gur shuigh buachaill ar a leaba, Lá Nollag 1989, in áit éigin fiáin i ndeisceart na hÉireann is dhein na Ceaucescus a chaoineadh le deora te a chroí.

D'imigh leá ar an saol cumannach mar uachtar oighre; agus an leá céanna ar na seanchairde a bhí anois á dhubhadh ní ba mheasa ná an chuid eile. B'éigean dó cúlú go dtí an suanlios agus pé saoraimsir a bhí aige is ann a chaitheadh sé é – rud a bhí i gcoinnibh na rialacha, ach ligeadh dó. Shocraigh sé ansin go gcaithfeadh sé imeacht ón gcoláiste agus an ardteist a dhéanamh sa bhaile. Socrú a bhí simplí go leor – ach go raibh Reilly rud beag casta.

Chaith sé suas an gheopholaitíocht agus ina áit sin ghlac seiftiúlacht aduain forlámhas ar a aigne. De ló, dhéanadh sé rástáil suas is anuas an seomra ag beartú leis. Istoíche agus an chuid eile ina gcodladh is amhlaidh a théadh sé ag póitseáil ar fud an choláiste, é i gcónaí ar a airdeall roimh an reachtaire. Chaitheadh sé a lán ama sa sciathán thiar den fhoirgneamh – áit a bhí thar teorainn agus pionós na díbeartha á leanúint; ansin théadh sé sa dorchla fada ag scrúdú na ngluaisteán a bhíodh páirceáilte i gcomhair na hoíche. Uaireanta, chaitheadh sé suas le trí uair an chloig ina staic ag faire ar rud éigin tríd an fhuinneog amach. Lastaí solas i bhfuinneog trasna na cearnóige is tharraingíodh Reilly a anáil. D'fhanadh sé ann go dtí go múchtaí é.

Lean sé mar seo go ceann míosa go dtí go raibh tuiscint mhaith aige ar phatrún na ngluaisteán is na soilse. Ar chuma éigin, bhraith sé anois níos sábháilte san oíche. Níor gheal leis an lá a thuilleadh.

Ba é Pugin a thóg an ardeaglais taobh leis an gcoláiste. Ba é Pugin freisin a dhear an mogallra de scáileanna a chaith an ghrian anuas ar na faichí mórthimpeall. Lig Reilly é féin isteach san eardhamh. Bhí cúrsaí an-ghnóthach istigh agus cléirigh aifrinn ag imeacht i ngach áit ag ullmhú don easpag, do seo is siúd is don uair bheannaithe. Chuir sé ceist ar Hallissey, duine de na cléirigh.

'Uimhir a trí' arsa Hallissey de chogar. Shiúil Reilly amach san ardeaglais trasna na hardaltóra is síos na céimeanna go bun an tí beagnach. Stop sé is chuaigh sé ar a ghlúine os comhair bosca faoistine a trí. Bhí duine istigh roimhe. D'fhan sé go dtí gur tháinig sé amach. Isteach le Reilly. Bhí sé dorcha. Chomh dorcha sin nuair a tarraingíodh an *shutter* gur dhóigh le Reilly gur istigh i mála a bhí an bheirt acu. Labhair sé i gcogar, na liopaí ag fáisceadh na 's' anna, rud a chuirfeadh *rashers* ar an b*pan* i gcuimhne dhuit.

I lár na faoistine dúirt Reilly, 'a Athair, bím ag luí le bean cúpla uair sa tseachtain.'

Ní dúirt an sagart aon ní.

'Nílim pósta, a Athair.'

'Éirigh as mar scéal, más ea.'

Nuair a labhair an guth, ghabh gráin trí chroí an bhuachalla.

'Ní féidir, a Athair, táim i ngrá léi.'

'Dhera, cad is dóigh leatsa cad a bhaineann le grá. Cén t-aos tú?'

'Seacht déag, a Athair.'

'Féach, gan trácht ar an bpeaca atá ann, tá tú ró-óg'

'Sea, sin é a deireann an bhean chomh maith.'

Bhraith Reilly gur mhúscail an sagart é féin.

'Agus cén t-aos atá an bhean seo?'

'Deinim amach go bhfuil sí tríocha dó nó trí.'

Tharraing an sagart a anáil le hiontas.

'Tríocha trí! Ní maith liom é seo in aon chor. Cad a chífeadh bean tíocha trí bliain d'aois ionatsa, airiú?'

'Ní mór, mhuis, níl sí i ngrá liom, ach tá an gnéas uaithi.'

Níor labhair sé láithreach.

'Gnéas! Uaithi! Cá bhfios duit?'

'Bhuel, a Athair, tá's agat, táimse cuíosach ok sa leaba, nó sin a deireann an chuid eile acu ach go háirithe.'

'An chuid eile acu!'

'Amás, an gceapann tú gurb ise an t-aon duine amháin a bhí agam riamh?'

Bhí déistin air. 'Gheobhaidh tú AIDS!'

'Sin é a deirid liom chomh maith. Tá fear aici ach tá sé níos sine ná í. Ní féidir leis – is amhlaidh nach bhfuil sé ar a... conas a chuirfidh mé é?'

'Ní féidir leis í a shásamh?'

'Sin agat é.'

'Caithfidh tú an bhean seo a fhágaint láithreach, sin foláireamh. Faigh cailín níos óige, comhaos leat féin.'

'Ní féidir, a Athair, mar is coláisteánach mé.'

Bhíog an sagart is ghliúc sé tríd an dorchadas.

'Dalta lae! Bhuel, cé a déarfadh é?'

'Ní hea, a Athair, dalta cónaithe.' Bhí tost sa bhosca ar feadh cúpla soicind.

'Dalta cónaithe! Conas a d'fhéadfadh buachaill cónaithe a bheith ag luí le bean cúpla uair sa tseachtain?'

'Is féidir, a Athair. Ós rud é gur i bhfaoistin dúinn agus é ina rún againn, ní miste má insím duit gurb í an cócaire nua í. Agus sin é deireadh m'fhaoistine, a Athair.'

D'fhan sé tamall fada sarar thosaigh na *rashers* istigh ag fógairt go raibh an absalóid á rá. Tarraingíodh an *shutter* is d'éirigh Reilly amach as an mbosca. In ionad casadh is imeacht leis, d'fheac sé a ghlúin don altóir is d'umhlaigh. Ar imeall a radhairc, chonaic sé an cuirtín dearg i mbosca an tsagairt á bhogadh chun scoilt bheag a dhéanamh.

Ní raibh ann ach soicind, ach ba leor an soicind sin chun an fear a bhí múchta i Reilly a athbheochan is chuir sé a raibh d'easonóir fulaingthe le bliain anuas aige ar neamhní.

Síos an ardeaglais leis gur stop ar bharr na gcéimeanna lasmuigh is gur leath a shúile ar an dúthaigh mórthimpeall. Dúthaigh ba ea é nach mothódh anois go brách réabhlóid Phinko Reilly. Ní mhothódh go brách ach ainbhiosántaíocht.

Bhí a aigne ar éadromacht le gaois. D'fhéach sé laistiar de isteach doras na hardeaglaise, isteach gur chuaigh amú i ndiamhair na scáth. Sea, gaois, mar thuig sé anois nach raibh aon rud sa tsíoraíocht ní ba mhilse ná an díoltas. Sea, b'fhéidir, ar seisean leis féin, ní ba mhilse féin ná na déithe bhíodh dár mealladh seal.

Accelerated Curriculum

A leithéid seo de dhuine, Tadhg Ó Catháin, théadh sé ag imirt cártaí. An oíche áirithe seo agus é ag filleadh abhaile cé chasfaí air ach bean ón gcomharsanacht. 'Mhuise, a Thaidhg,' ar sise, 'nach mór an trua tú, ag filleadh gach oíche ar do thighín uaigneach is gan de chuileachta agat ach an tseanchroch shúiche.'

'Dhera, éist,' ar seisean, 'ná fuil an madra agam?'

Go gairid ina dhiaidh sin casadh bean eile air. 'Hé, a Thaidhg,' ar sise, 'an bhfuil aon chuimhneamh agat ar chailín deas a phósadh?'

'Pósadh!' arsa Tadhg, 'canathaobh, airiú, agus prátaí, min is móin agam is an saol ina shuí ar a thóin agam?'

Sea, lean sé leis go dtí gur casadh seanduine air. 'Muise, a Thaidhg, a chroí, nár bhreá leat go mór bheith ag éisteacht leis na coisíní ar urlár na cistine ar maidin agus gach aon gháir suilt astu?'

'Is binne liomsa go mór méileach na gcaorach ar bhord an tslé' amuigh ná a bhfuil de ghártha suilt sa tsaol so,' arsa Tadhg is bhailigh sé leis.

Tar éis tamaill b'ait leis ná raibh an baile bainte amach aige. Stad sé is d'fhéach ina thimpeall. Ambaist, a Thaidhg, ar seisean ina aigne féin, go bhfuil tú ar strae, a mhic. Na daoine sin ó chianaibh a chuir amú tú ní foláir, aicíd orthu!

Ar shliabh a bhí sé, sliabh nár aithnigh sé! Shéid an ghaoth air is ba bheag nár srac an cóta dá dhroim. Ghlan cuid den spéir is nocht réaltaí ná raibh aon chaidreamh aige orthu. Cá raibh sé? Ghabh freang tríd. Ó, a Thaidhg Uí Chatháin, ar seisean ina aigne féin, tá deireadh leis an laochas.

Díreach ag an bpointe sin thóg an ghaoth dá bhonnaibh é is rug chun siúil é de dhroim na mbeann, de dhroim na ngleann, tríd na sruthanna ceo, isteach i nguairdeall sneachta gur thuirling sé sa deireadh in áit ná feadair sé – gleann, is tost ann. Chonaic sé solas uaidh is dhein sé air. Caisleán de shaghas a bhí ann is na gártha scléipe ag éalú as. Isteach leis. Níorbh fhada go dtáinig sé go dtí halla mór lán de mhná uaisle is iad ag caitheamh fleá is féasta.

'A Thaidhg Uí Chatháin,' arsa an guth. Tháinig líonrith air. 'Siúil aníos anseo!' arsa an guth. Rud a dhein sé. 'Inis scéal dúinn, a Thaidhg!' arsa an guth.

'Ó, sin rud ná fuil agam,' ar seisean, 'níor casadh scéalaí riamh orm go raibh réal ina phóca aige.' Bhain sin tost fada as an slua is tháinig ábhairín eagla air. Ansin labhair an guth arís, 'A Thaidhg, croch suas tiúin ar an veidhlín dúinn!'

'Ó, dhe, mo léir,' arsa Tadhg, 'tá an fear mícheart ar fad agaibh, *sure*, ní aithneoinnse veidhlín thar súiste.' Bhain sin tost ní ba mheasa as an slua. D'fhéach sé ina thimpeall orthu is d'fhás an t-eagla istigh ann.

Ach labhair an guth arís, 'Sea, más ea, a Thaidhg, buail cúpla steip amach ar an leic dúinn.'

'Steip, airiú, cúis gháire ó Dhia chugainn, tá an dá chois ceangailte agam ón lá a saolaíodh mé.' D'fhéach Tadhg ina thimpeall is dhein sé amach ná raibh aon fháilte roimh na freagraí seo. Bhí gach súil ag gabháil tríd is thosaigh sé ag guí.

Labhair an guth arís, 'A Thaidhg Uí Chatháin, fán fada ort is ar do chroí gan rath,' is bhuail an slua na bosa is tógadh Tadhg dá bhonnaibh is rugadh chun siúil é tríd an oíche, thar na sléibhte, thar na riascaibh, thar na móinteáin go dtí gur thuirling sé in áit ná feadair sé.

Ar thaobh an bhóthair a bhí sé is é fliuch, fuar, sceimhlithe ina bheatha. Cad a chífeadh sé ansin ach an mhuintir an bóthar aníos chuige, sochraid, sea, agus comhrainn acu – iad ar fad ina gcorpáin, marbh le mí ar a laghad. Is an bréantas uathu, leagfadh sé capall. Stadadar.

'A Thaidhg Uí Chatháin,' arsa an guth: 'Seas amach anseo ar bholg a' bhóthair!' Ach ní fhéadfadh Tadhg a chos a tharrac le méid an sceoin. D'osclaíodar an chomhrainn, is cad a bhí istigh ach corpán eile; thógadar amach é. Ba bheag nár leag an boladh Tadhg is bhéic sé le halltacht. Chrochadar an corpán seo anuas ar a dhrom. D'fháisc cosa is lámha an chorpáin thairis anonn. Bhéic Tadhg. Bhéic sé an dara huair. Ach bhí na baill bheatha ceangailte aige.

'Dein é seo a chur sa chré go luath, tá sé mí gan chur,' arsa na corpáin leis.

'Corpán! Mí! 'Chríost! Fóir orm, in ainm Dé, fóir orm,' arsa Tadhg ag éamh. Agus seo leis ar fud an bhóthair ag iarraidh an corpán a chaitheamh de anuas.

Bhí fuar aige, níor dhein an corpán ach a bhéal lofa a chur le cluais Thaidhg, 'A Thaidhg Uí Chatháin, dein mé a chur, dein mé a chur go luath!' Níl aon chur síos ar an sceon a ghabh Tadhg nuair a chuala sé an guth lena chluas.

'Seo libh ó dheas go Cillín na mBoc,' arsa duine den slua, 'agus dein deabhadh, mar má ghealann an lá oraibh is mo dhuine ar muin agat, is in ifreann a chríochnóir!'

Níorbh é an déistean ach an sceon a thug ó dheas é agus gach béic as. Ghabhadar trí riascaibh is driseoga, trí ghleannta is insí agus gach uair a stadfadh sé chun a anáil a thógaint gheobhadh sé cic ón gcorpán, agus, 'múscail as sin, a bhacaigh, féach an lá ag breacadh orainn!' Chuirfeadh sin ar a dhícheall ó dheas é ag léimrigh thar na clathacha is ag titim isteach sna poill mhóna is gan de phort uaidh ach, 'Sin deireadh le laochas, a Thaidhg, a stór, sin deireadh le laochas.'

Faoi dheireadh nuair a bhaineadar amach Cillín na mBoc is amhlaidh a bhí na geataí daingnithe ina gcoinnibh ag muintir na reilige, is é sin na corpáin. Ina seasamh in airde ar na fallaí a bhíodar is gach sceamh astu, 'reilig ghlan í seo, a dhuine, níl aon fháilte roimh lobhair.' Dhera a dhuine na n-ae is na n-arann ba bheag nár léim Tadhg as a chorp nuair a chuala sé an focal.

'Lobhar! É seo in airde?'

'Cad eile, airiú, a Thaidhg Uí Cháthain, an bhfuileann tú simplí ar fad ar fad, agus trian de ar iarraidh cheana féin!' agus is mór an gáire a dheineadar. 'Sea, téir ó thuaidh go Cillín Tiarna, táid ag glacadh le lobhair ansin,' arsa siad.

As go brách leo ó thuaidh agus a chroí ina bhéal ag Tadhg. Rith an ráfla roimhe ní foláir mar nuair a bhain sé Cillín Tiarna amach bhí na corpáin go léir, gach ceann acu ina lobhar, is mantanna bainte astu ag feitheamh leo ag na geataí.

'Fáilte roimh lobhair,' a dúradar. Ní róbhuíoch a bhí Tadhg.

'É seo thuas orm an lobhar, is duine uasal mise,' ar seisean.

'Is lobhar anois tú, is beidh do shrón bailithe léi i gceann cúpla seachtain,' ar siad. Bhéic Tadhg. Bheadh an tarna béic ligthe aige ach amháin gur chiceáil an lobhar sa ghabhal é. 'Éist do bhéal, a chladhaire, seo leat isteach is cuir sa chré mé.'

Thug muintir Chillín Tiarna Tadhg go dtí an áit istigh, thógadar aníos cúpla leac is shleamhnaigh an corpán anuas dá dhrom go breá socair isteach san uaigh a bhí bainte. Chaitheadar an chré anuas air is ansin na leaca. Bhí Tadhg ag scrúdú na srónach lena mhéara.

'An lobhar mé dáiríre?' ar seisean d'éamh.

'Sea,' arsa siad, 'ach dá gcrochfá tiúin ar an veidhlín os cionn na huaighe bheadh leat.'

'Ach,' arsa Tadhg, 'ní fhéadfainnse...' Ní bhfuair sé aga diúltú mar cuireadh veidhlín isteach ina lámh. Léim na méara ar na sreanga amhail is gur leo an áit. An tiúin a chroch sé ná 'A Mhuire, coinnigh coinneal liom go mbearrfad cois an ghé', agus bhí sé chomh maith sin gur éirigh a thuilleadh de na mairbh chun éisteacht. Sa deireadh b'éigean dóibh an veidhlín a bhaint de mar bhí *notions* aige.

'Buail cúpla steip amach ar leic na huaighe anois dúinn', arsa siad. Ní bhfuair sé aga cur ina gcoinnibh mar gur sheoladar anuas ar na leaca é. As go brách leis na bróga ag baint smúit as an aer go dtí gur scaoil sé ag croitheadh na gcos iad go léir. Sa deireadh thóg sé triúr corpán chun é a stopadh, bhí sé chomh tógtha sin leis féin.

'An léifeá smut d'aifreann anois dúinn, a Thaidhg, chun nach dtiocfaidh sprid mo dhuine ar ais chun tú a scanrú?' arsa siad.

Ní raibh léamh aige gan trácht ar an Laidin, dúirt sé, ní fhéadfadh sé fiú amháin clog a bhualadh. Ach bhí fuar aige diúltú mar gan a thuilleadh moille bhí na veistmintí air agus é ag gearradh leis tríd an aifreann – is an Laidin sna tuilte tréana as. '*Introibo ad altaram Dei, et cum spiritu tuo, in nomine patris ..., per omnia secula seculorum, amen!*' Dhera éist, a dhuine! Is amhlaidh a bhí na corpáin an-bhródúil as, mise á rá leat. Ach ní fhéadfaidís é a stop.

'Seo libh go léir anois ar bhur nglúine go léifidh mé beannacht na heaglaise os bhur gcionn.' Ní raibh sé ach díreach tosaithe nuair a leag an ghaoth é is rug chun siúil é amach thar na crainn iúir is tríd an aer is na scamaill. Shéid sé siar é, shéid sé soir é, shéid sé isteach i mbéal na maidine é. Cá dtuirlingeodh an diabhal ach i gceartlár halla an chaisleáin agus an féasta fós ar siúl. De réir a chéile thit an tost is d'fhéach gach súil air.

'A Thaidhg Uí Chatháin,' arsa an guth, 'siúil aníos chugainn as sin!' Rud a dhein sé. 'Sea, bhfuil scéal agat an turas seo dúinn?'

'Ambaist go bhfuil,' arsa Tadhg, agus é chomh bródúil le cat a mbeadh póca air, 'agus ní hamháin sin ach crochfad cúpla tiúin ar an scriob screab daoibh, is cá bhfios ná go mbuailfead *hornpipe* amach ar na leaca. Agus má tánn sibh fós gan a bheith buíoch díom léifidh mé smut d'aifreann daoibh.'

Thit tost marfach ar na mná. 'Sea go díreach,' arsa Tadhg, 'Aifreann. An tAthair Tadhg Ó Catháin *at your service. Dominus vobiscum, et cum spiritu tuo...*' A Mhuire mháthair, phléasc an slua san aer is scinn na mná as radharc i bputh deataigh. Iad go léir ach bean amháin. An duine ba dheise díobh.

D'fhan sise thuas cois na tine, bean bhreá rua a raibh béilín aingil uirthi – ach diabhlaíocht ina súil.

'A Thaidhg Uí Chatháin,' arsa sise, 'níl aon dabht air ná gur breá an scafaire fir tú. An suífir aníos cois na tine?' Rud a dhein is níor iarr sé aon mhéir leis, mise a rá leat. 'Agus go breá réidh ar an Laidin, a Thaidhg, nílid chomh tógtha leis anseo timpeall. Na mná úd, is é sin,' agus sméid sí air. 'Ní duine acu siúd mise in aon chor, a Thaidhg, bíodh a fhios agat, gnáthdhuine mise cosúil leat féin,' agus dhein sí gáire le Tadhg is ba bheag nár leag an t-aoibhneas é.

'An inseoidh mé mo scéal duit,' ar seisean.

'Dhera, níl aon deabhadh, a Thaidhgín, a stór, agus lán na hoíche fós romhainn. Agus tráth is go bhfuil an oíche chomh dorcha, gránna sin b'fhéidir nár mhiste an oíche a chaitheamh anseo inár dteannta?' Rud a dhein.

Doras an Iontais

Bhí sé ag cáitheadh sneachta. Ghreamaigh sé den ghloine amuigh – mar a d'fheicfeá ar chárta Nollag. Laistigh, an bheirt shagart á ngoradh féin le tine.

Bhí carn mór leabhar le hais duine amháin acu – é ag baint astu. 'Middlemarch, seo, tóg é sin chomh maith, a Pheadair.' Leisciúil go leor, thóg Peadar uaidh é, is bhuail anuas ar Dánta Thomáis Rua.

'Tá mo dhóthain agam anois, tá's agat nach mór an deis a fhaighimid chun léamh amuigh sa Nigéir.'

Líon Emmet, an sagart eile, branda amach don bheirt acu arís. Leathadar na ladhracha chun na tine. 'Ní thuigir is a bhfuil de phléisiúr i sneachta, fuacht is báisteach. Níl deoir uisce mar a mbímid ach gaineamh, tart, agus cac chamaill,' arsa Peadar. Chaith Emmet a bhranda siar, is líon amach ceann eile don bheirt acu. 'Go breá réidh nó beimid sínte. Coke nó uisce a ólaimid sa ghaineamhlach.' D'fhéach sé amach ar na cnoic, na coillte, na goirt, iad faoi bhrat sneachta. 'An mór é do pharóiste-se?' arsa Peadar.

'As seo go Feárnas is ó thuaidh chomh fada le bruach na Séithe,' arsa Emmet.

'Dhera, níl ann ach gairdín. An bhfuil a fhios agat go bhfuil mo cheann-sa chomh mór le Cúige Mumhan.'

Thosaigh Emmet ag gabháil tríd an gcarn leabhar arís. 'Cúige Mumhan!' ar seisean. D'aimsigh sé leabhar éigin, d'fhéach air nóiméad, is chaith isteach sa tine é.

'Féach cad a dheinis! Leabhar breá leat sa tine,' arsa Peadar.

'Dialann – cuntas ar laethe nach fiú cuimhneamh orthu.' Chuir an freagra corrabhuais ar Pheadar, is a thuilleadh nuair a líon Emmet branda eile amach.

'Go breá réidh ar do chamall,' arsa Peadar 'amuigh sa...'

'Ní beag sin den Nigéir uait. Nár aifrí Dia orm é,' arsa

Emmet le crostacht.

'Hé,' arsa Peadar, 'tá sin go maith, an imirt atá déanta agat idir aifrí agus an Nig...' Stop sé. D'fhéach sé ar an bhfear eile. '*Alright*,' ar seisean 'do chuid leabhar uait, dialann sa tine, doilíos, is an iomarca dí. Cad tá cearr?'

'Iomarca dí?' arsa Emmet, 'cad is fiú céalacan is deireadh féasta ag druidim liom?' Is shín sé litir chun Pheadair. Léigh Peadar go tapaidh é. Thosaigh sé ag únfairt sa chathaoir. Léigh arís é go mall.

D'fhéach sé suas ar Emmet. 'D'fhéadfadh botún a bheith ann.'

'Botún! Nach bhfeiceann tú cad as a dtáinig sé? An Príomh-Chlinic ailse i mBaile Átha Cliath. D'aithneoidís siúd *leukemia* ar a scáth. Tá dhá mhí eile agam.'

D'fhéach Peadar síos ar a chóip de *Thomás Rua*. 'Cad ba cheart dom a rá?' ar seisean.

'Scríobh leabhar más acmhainn duit ar *What to say on those Difficult Occasions*. Cad deirir le fear atá ag fáil bháis, le bean gur cailleadh mac léi, le leanbh dall? Ní gá aon rud a rá,' arsa Emmet is lean den ól. 'Ní hé sin is measa liom ach ceist mo chreidimh. Tá mo chreideamh caillte agam.'

'Conas caillte?'

'Caillte. Nach dtuigeann tú Gaeilge?'

Bhíog Peadar. Bhí sé sásta go raibh an t-ábhar cainte athraithe. Dúirt sé le Emmet gur rud nádúrtha é, gur mhar a chéile creideamh i measc na sagart agus grá i measc daoine pósta – líonann is tránn air.

'Táim ar an trá fholamh más ea,' arsa Emmet.

Dúirt Peadar go dtuigfeadh Dia.

'Ní hann dó,' arsa Emmet. Dúirt Peadar go raibh a leithéid seo d'fhear amuigh sa Nigéir is go..., ach chaith

Emmet roimhe, 'agus a liacht uair a chuireas Dia is a chreideamh siar ar mhuintir an pharóiste seo is an pharóiste siúd, agus é go léir mar chúr na habhann.' Líon sé na gloiní arís.

'Agus dealbha reatha, is an dúthaigh seo imithe bán ina ndiaidh.' Dúirt Peadar gur bhreá leis ceann a fheiceáil – gur mhaith leis é bheith le maíomh aige i Kano.

Bhuail Minní, bean a' tí, isteach. 'Bhfuil sibh *alright*? Tae uaibh? Níor ithis pioc ó mhaidin, a Athair. Sea, tá sibh réidh leis seo,' is shín sí a lámh chun an bhranda.

Dhún dorn Emmet ar an scrogall. 'Ná bac le tae, faoiseamh atá uainn maran miste leat,' arsa Emmet go giorraisc.

'Tá go maith, ach beidh a mhalairt de phort amach anseo is *devotions* le déanamh,' is phlab sí an doras ina diaidh.

'Croch ard lá gaoithe chugat,' arsa Emmet ina diaidh. 'Is measa ná pósadh é seo, táim cráite aici.' Shocraigh tost orthu.

Chorraigh Peadar sa chathaoir, 'sprideanna,' ar seisean, 'tá an tír ag feiscint sprideanna ó thosach aimsire. Ní mór linn dóibh a sprideanna. Canathaobh go mba mhór linn dóibh a ndealbha?' Ní bhfuair Emmet aga freagairt, mar b'iúd Minní isteach agus pióg na Nollag ar lasadh aici. Choinnigh Emmet greim ar an mbuidéal gur imigh sí. Thugadar aghaidh ar an bpióg, is ní raibh le cloisint uathu ach a gcogaint, a ngnúsacht shásta, is foshlogadh as na gloiní.

'Hé! Féach chugainn,' arsa Emmet. D'fhéach an bheirt an fhuinneog amach go bhfacadar fírín ag gabháil thart go dtí an doras. 'Scrios orm má tá éinne is lú liom a fheiscint inniu na SeanMhuiris Thaidhg. Duine acu é siúd – dealbha, sprideanna, Naomh Pádraig, ach an mhaighdean

Mhuire is mó a bhíonn sé a' feiscint . . . Cuirfidh Minní an ruaig air.' Ach theastaigh ó Pheadar go mbrisfeadh rud éigin an teannas sa pharlús. D'iarr sé air Seán a ligean isteach, ar spórt. Sa deireadh ghéill Emmet, is seoladh SeanMhuiris Thaidhg isteach – gach smugaíl as le slaghdán. Ní shuífeadh sé ach d'fhan laistigh den doras. 'Ní hé do mhalairt atá ann, a Sheáin.'

'Is é cheana, a Athair. Gabhaim pardún agat, tá cuileachta agat.' Chuir Emmet an bheirt in aithne da chéile, is d'fhiafraigh de Sheán conas mar a bhí Pádraig Naofa na laethe seo.

'Á, mhuise, a Athair, tá's agat, ní maith leis an aimsir chrua. San fhómhar, is an bhliain in eireaball a teasa, is mó a chífeá é.' Ach bhí sé míshásta le muintir an pharóiste. Dar leo ní raibh tointe meabhrach aige. Chuir Emmet gloine branda ina ghlac, chuir toitín ina bhéal, is las dó é.

'Go bhfága Dia do shláinte agat, a Athair, tá buille tobac orm ó mhaidin.' D'fhair an bheirt shagart Seán, an dá láimh beirthe ar an ngloine is é á chur lena bhéal aige, is an cnagadh a bhain na fiacla as an soc. Shlog sé siar é, leathshúil dúnta, gur bhuail sé buille dá chos ar an urlár.

'A Chríost, murab é sin an díoltas dílis, gaelach. Théifeadh sé tairní do bhróg.' Lean sé leis ag gearán faoi mhuintir an pharóiste go raibh sé ina phótaire acu, agus ba locht mhór acu air a bheith ag feiscint na Maighdine Muire. Dhírigh sé é féin is bhain macalla as an toitín.

'Is mór an sásamh ag dúiribh lochtanna na n-uaisle. Cá bhfios dóibh siúd cad a bhaineann le cráifeacht?' Ach bhí fear amháin sa pharóiste a thug creidiúint dó, bíodh is gur bhain sé leis an Teampall Gallda. Bhrúigh na sagairt an ghéire fúthu.

'Conas sin a Sheáin?'

'Conas sin, a Athair?

'Nár inis an Mhaighdean Mhuire dom dul siar go Dawson, is a rá leis a chuid cruithneachtan a bhaint, tríocha acra glan, maran miste libh – go raibh sé ag boirbeáil chun stoirme. Siar liom. "Cé dúirt leat é sin a rá liom?" ar seisean. "An Mhaighdean Mhuire," arsa mise. Ba bheag nár sháigh sé leis an bpíce mé. Sea, dhá oíche ina dhiaidh sin shéid an gála ón saol eile, is thit an díle. Nuair a stop sé bhí gort mo dhuine in aon chlár amháin spairte. Dá mbeadh sníomhaí-shnámhaí istigh ann ní éalódh sé as go deo. Bhriseas mo thóin ag gáire, ní nach ionadh. Dhá oíche ina dhiaidh sin cé bhuail an doras isteach chugam ach Dawson, agus buidéal fuisce aige dom. "Cogar" ar seisean, "an chéad uair eile go luann an bhean úd mise, in aon tslí, beidh buidéal eile ar salann duitse, ach é a rá liom."'

'Bhuel, a Athair, dar a bhfuil de dhiabhail in Éirinn ghlais,' agus raid sé bun toitín le clóchas thar na sagairt isteach sa tine. 'Buidéal Powers, ó dhuine nár thug dalladh na súl de bhraon dí d'éinne riamh. Cá bhfios ná gur Caitliceach a dhéanfam fós de.'

Scairt an bheirt shagart amach ag gáire is ní raibh aon leisce ar Sheán a dheis a thapú.

'A Athair, ní maith liom é a iarraidh ort ach táim traochta ag slaghdán. Aon seans...?' Bhí an ghloine ina lámh aige, seasamh spride ina shúile. Líon Emmet taoscán maith amach dó. Tháinig dhá chnapshúil ar Sheán.

'Is maith an bhail a bhí ort, a Sheáin.'

'Ní lú ná an bhail a bhí ort féin, a Athair.'

'Conas sin, airiú?' arsa Emmet.

'An teachtaireacht a thug sí dom le tabhairt duit. Nach in a thug i leith mé.'

Dhruid Emmet ar ais chun na tine, idir gháire is dhéistin measctha ar a aghaidh, 'Teachtaireacht domsa airiú, cúis gháire ó Dhia chugainn.' D'fhéachadar ar Sheán ag iarraidh an ghloine a chur lena bhéal gan é a dhoirteadh – na fiacla ag cnagadh ar an soc mar spúnóga. Dhún Seán na súile arís is chuir gramhas air.

'Sea, dúirt sí liom dul síos go dtí an tAthair Emmet is a rá leis nach raibh sé chun bás d'fháil in aon chor – nach raibh puinn slí acu thuas dó is nach mbeadh go ceann i bhfad. Agus a rá leis ciall a bheith aige. Dar fia, a Athair, ní raibh aon tuairim agam go rabhais chun bás d'fháil orainn.'

Stop an gáire cois na tine, thit ciúnas grod, is gan de ghlór sa tseomra ach Seán ag smeachadh dí.

'Mar sin féin ní deirim ná go bhfuil brí éigin lena cuid cainte.' Níor fhan focal ag an mbeirt.

'Sea, bhuel, a Athair, níl aon dabht ná gurbh é sin an deoch Nollag ba chneasta a fuaireas i mbliana, go méadaí Dia do stór. Sea, níl do leac lite ná do chosa nite go fóill, a Athair,' arsa Seán de leathgháire. D'fhéach sé orthu uair amháin eile.

'Bhuel, níl aon ghnó agam anseo a thuilleadh. Níor freagraíodh é. Lig sé é féin amach. D'éist lucht na tine lena choisíocht an grean síos.

'Go bhfága Dia ár meabhair shaolta againn,' arsa Emmet, 'ar mo leabhar breac gur tú an t-aon duine amháin gur insíos dó é. N'fheadair éinne cá bhfios cad tá ar siúl.'

Bhí Peadar trí chéile freisin, is ní dhearna ach a leiceann a thochas. Ag an bpointe sin chuala sé an guthán, is Minní á fhreagairt. Thug sí isteach cois na tine é, is labhair Emmet isteach ann. Ansin, d'éist sé go ceann i bhfad, gan ach focail aonsiollacha as. Sa deireadh leag sé uaidh an fón.

Bhí sé chomh bán san aghaidh nach raibh ann ach a scáth.

'Drochscéal eile,' arsa Peadar go faiteach.

'Sea, drochscéal... sea... ar shlí... b'in an dochtúir ón gclinic i mBaile Átha Cliath.' Bhí mífhoighne ar Pheadar, 'Sea, sea, bain an ceann den scéal.'

'Botún a deineadh. Níl puinn cearr liomsa. Ach in áit éigin beidh drochNollaig ag duine éigin eile. Eagla ar an dochtúir go gcuirfead an dlí air.' D'fhéach sé isteach sa tine, a ghuth ag cnagadh chun goil. 'Cad is féidir liom a rá?'

'D'fhéadfá leabhar a scríobh ar *What to say on those Delightful Occasions*,' agus leath an greann ar a bhéal.

Rith Minní isteach ag meabhrú seo is siúd dóibh, 'is gan ach fiche nóiméad chun na *devotions*. Muna mbrostaíonn tú leat, tá's agat cad a bheidh á rá acu,' is ghlan sí léi.

D'éirigh Peadar, thóg sé *Tomás Rua*, agus *Middlemarch* is d'fhág ar an matal iad. 'Buíochas le Dia ná beidh orm iad siúd a léamh,' ar sé. Sheas sé os comhair Emmet. 'Is geall le dealbh reatha tú. Múscail tú féin.' D'fhan Emmet gan bogadh, mearbhall ar a éadan. Leag Peadar a lámh ar a ghualainn. 'Níl aon teora le trócaire,' a seisean.

'Cad a dhéanfaidh mé?' arsa Emmet. Bhí deoir á fháisceadh as a shúil chlé.

'Cad a dhéanfá is doras an iontais ar leathadh romhat ach gabháil tríd, is macalla nua a bhaint as an saol, is bí ag caitheamh na glóire leat mar nach bhfuil an bhliain ite ag na cait go fóill, ná baol air.'

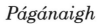

Págánaigh

Trí lá tar éis na sochraide thit pláta *wedgewood* den drisiúr is bhris ar an urlár. D'fhéach sé síos ar na píosaí. Díreach ag an nóiméad sin is ea a thuig sé go raibh sí marbh is nach bhfeicfeadh sé go deo arís í. Conas san? Ach bhí sí fós ann! Siúd thall a cathaoir ag bun an bhoird! Anseo a cuid gréithre *willow* ar aon ghorm lena súile! Féach na tiúilipí a thug sí isteach ón ngairdín! Agus fós ní raibh sí ann. Conas san?

Sall leis go dtí an fhuinneog. Bhí na cuirtíní á sú amach ag aer an tráthnóna. Sheas sé ansin go bodharaigeanta ag féachaint ar a raibh fágtha den saol. Ag bun na spéire thiar crann aonair. D'fhéachadar ar a chéile, an dá rud aonair seo. Bhí an crann ag scairteadh air, 'mairfimid araon bliain eile'. Agus ansin? Faic na nGrást! Conas san?

Theastaigh uaidh a hainm, Kate, a scairteadh amach is macalla a bhaint as seomraí an tí, theastaigh uaidh méid a ghrá di a chur in iúl do na fallaí amhail is go raibh sí féin ag éisteacht. Ach níor scairt mar thuig sé go raibh an chruinne is a raibh inti chomh bodhar le capall maide. Rud a thuigfeadh sí féin mar go rabhadar beirt ina ndíchreidmhigh.

Sea, díchreidmhigh gan ghéilleadh. Rud a thaispeáin sé lá na sochraide. Faid is a bhí muintir Kate ag sileadh na ndeor, d'fhan sé féin cois na huaighe ag fulaingt leis i dtriomacht. Agus maidhm ina scornach. Ar chuma éigin bhraith sé go mba ghéilleadh do Dhia deoir a shileadh ar thaobh an teampaill. B'in é an uair ar chuaigh an sagart paróiste an-ghéar air filleadh ar an aifreann. Ghabh sé buíochas leis an sagart ach mhínigh sé a chás dó – beo nó marbh nach mbeadh aon ghéilleadh; mar gur chreideamh de shaghas é an díchreidmheacht agus an dúthracht chéanna á leanúint.

Thug an cliotar ón gcúlchistin ar ais ar an saol é. Scríobadh is díoscán, is ansin clingireacht shocair na gcupán – ansin tost. Ansin coiscéimeanna Julia, a mháthair chéile, righin is trom an pasáiste aníos, ansin sos lasmuigh. Conas a chuirfeadh sé lá eile den saol seo isteach? Gan chabhair! Cabhair ón aon duine amháin sa chruinne a d'fhéadfadh fóirithint air – Kate. Chuimil sé a lámh de phláta *willow*. B'ait leis gur dhein iongain a mhéire mar a bheadh cnagadh ar an imeall. D'iniúch sé an lámh chreathánach – bhí sé ag déanamh aeir mar a bheadh seabhac.

Dhein úll an dorais cnagadh agus ansin na hinsí ag géilleadh. Níor chas sé ach bhraith sé a dhrom á iniúchadh. 'An bhfuil aon chuimhneamh agat ar ghreim a ithe, trí lá gan oiread is cantam aráin?'

Bhí an créatúr ag déanamh a dhíchill. Níor thug sé aon toradh uirthi, mar bhí sé chomh neamhshuimeach inti is a bhí sé ina chiotrúntacht féin. Dhein sí casachtach bheag is lean uirthi.

'Muna n-itheann tú rud éigin, dá laghad é, beidh corp eile againn ag dul faoi dhéin an teampaill. É sin ab ansa léi féin.'

Ní raibh sí anseo ach cúpla lá is cheana féin thuig sí an chumhacht a bhí aici ach Kate a lua. Ach bhí sí freisin ag déanamh buartha dó ar chuma éigin. Chas sé is é ar tí aghaidh bhéil a thabhairt uirthi ach níor dhein sé ach 'pé rud a deirir,' a rá léi.

Chuadar go dtí an chistin mar a raibh béile de shórt ullamh aici, clóisíní friochta. Dhein sé ceann acu a bhlaiseadh. Thógfadh sé a thuilleadh den tine. Anois dá mba Kate a.... Leag sé uaidh an forc. Bhí sé damnaithe! Kate, Kate, Kate! Chuaigh sé go dtí an cuisneoir is chuir ceapaire le chéile is shuigh chun an bhoird arís. Is feadh na faide Julia mar a bheadh cat ar tí léim.

'Tuigim,'ar sise, 'conas a bhraitheann tú mar gheall ar na cártaí aifrinn. Is mór an trua é. Níl baint dá laghad acu le Dia, ach daoine nár éirigh leo dul ar an sochraid. Agus na bláthfhleascanna, tá an liosta agam, caithfir scríobh chucu ag gabháil buíochais.'

Nuair a chuala muintir Kate an focal *cremation* ba bheag nár ionsaíodar é. As sin amach ba leo an lá. Chan bean éigin *Lacrimosa Dies Illa* sa séipéal – rud a thaitneodh go mór le Kate féin ach ní mhaithfeadh sí dó an liútar éatar a lean é. 'Maith dom é,' ar seisean os íseal.

'Cad é sin?' arsa Julia. 'Dála an scéil, dóbair dom dearmad a dhéanamh air, Flanagan, tá cloch á ghearradh aige, cloch dhubh éigin a bhfuil an-snas go deo air – níor thaitin an chloch ghainimhe liom – tá sé daor, ach is é is lú is gann dúinn a dhéanamh don chréatúr, go ndéana Dia trócaire ar a hanam. Tá meaisín ag Flanagan ó Mheiriceá agus tig leis pictiúr Kate a ghearradh ar an gcloich. Ar chéad punt breise d'fhéadfadh sé pictiúr de chéasadh na croise a ghearradh taobh léi. Tá sé an-néata agus ní dhéanfadh saor cloiche den seandream go deo é.' Stad sé de bheith ag cogaint is d'fhéach uirthi go cliathánach. Bhí snas ar a súile ó bheith ag gol.

D'fhéadfadh sí tosú arís aon nóiméad anois. Bhí misneach ag an gcréatúr agus ba í Kate an t-aon duine clainne a bhí aici.

Chlaon sé ina leith is labhair os íseal, 'Ní bheidh aon chéasadh croise, ní bheidh aon phictiúr, ní bheidh ann ach a hainm, Kate Kerins, 1953-1985, is na focail seo scríte faoi:

Sunset and evening star
And one clear call for me
And may there be no moaning of the bar
When I put out to sea.

D'fhéach sí síos ar an talamh is na deora á tachtadh. 'In ainm Dé cad is brí leis sin? Cén beár, conas beár?'

D'inis sé di gurbh iad na línte ab fhearr léi de chuid Tennyson.

'Níl aon eolas ag muintir na háite timpeall Tennyson.'

'Tá agamsa agus is leor sin.'

Sea, bhain sin tost as an gcistin is gan le cloisint ach an clog. Go tobann d'éirigh sí is thug sí faoi na gréithre. Dar leis bhí an cibeal a bhain sí as an doirteal beagáinín iomarcach. Stad sí go tobann is d'fhéach sí amach ar an tráthnóna.

'Is bocht an scéal é nár thit bhur scáth riamh ar dhoras an tsáipéil, go dtí go dtáinig an bás ar cuairt chugaibh!'

'Sáipéal! Cad ab áil linn de?'

'Chun maithiúnas Dé a iarraidh as bheith in bhur mbeirt phágánaigh, cad eile?'

Ní raibh an focal díchreidmhigh i gcaint na comharsanachta, dhéanfadh págánaigh an chúis go néata.

'Botún mór ba ea é, tuigeann sí anois é.'

'Náire chugat as a leithéid a chasadh léi, cailín nár leag barra méire ar éinne riamh!' Scread sé uirthi mar is cinnte gur ceacht ar ifreann a bhí ar siúl aici. Agus má bhí aon rud laistiar dá bheith ina dhíchreidmheach, ba é ifreann é agus a raibh de sceon fulaingthe aige ina óige dá bharr.

Ach lean sí léi: 'Déarfad mo rogha rud. Mise a sheol isteach i solas an lae í, mise a dhein banaltras uirthi, mise a dhein cúram di is gach aon chóir agam uirthi. Is mó is

liomsa ná leatsa í, ach ní le ceachtar againn anois í. Ach le
Dia.'

Chas sí is thug aghaidh air. 'Sea, Dia! Cad déarfaidh sí
Leis nuair a fhiafróidh Sé di canathaobh nár bhaist sibh an
gearrchaile bocht san thuas sa leaba?'

Steall sí uisce soir is siar chun cur leis na focail. Bhí sé
chun a rá léi an tigh a fhágaint ach stop sé é féin in am.
Mar cad ab fhiú a bheith ag argóint faoi chúrsaí creidimh –
ba é an scéal céanna ar fud na hÉireann é. Fir nach raibh
aon dóchas acu as maitheas an tsaoil seo ag dréim le seans
sa saol eile. Má bhí bonn lena saol ba é an phiseog é, agus
ollphéisteanna Loch Deirg ag lámhacán soir in aghaidh an
lae. Ach bhraith Julia go raibh buntáiste faighte aici tráth
is nár fhreagair sé í.

'Agus gan aon chéad chomaoin, ach ina áit an créatúirín
a thabhairt go dtí an zú i mBaile Átha Cliath. Moncaithe in
ionad grásta Dé!'

Léim sé ina sheasamh. 'Ní beag sin, Julia, táim ag
iarraidh ort an tigh seo a fhágaint! Láithreach!'

Thit na lámha lena taobh is tháinig cuma chloíte uirthi.
Shuigh sí le hais an bhoird.

'Sea,' ar sise, is í ag brú na ndeor fúithi, 'ba mhaith
liomsa imeacht leis. Ach ní féidir....'

D'fhéach sí timpeall an tseomra is diaidh ar ndiaidh
bhris a gol uirthi.

'Níl aon rud agamsa ag baile a chuireann í i gcuimhne
dom, ach an áit seo, baineann a bhfuil sa tigh léi,
geraniums, tuáillí, criostal...'

Phléasc na deora amach go pras. 'Sea, a mhic, gach
cúinne den tigh ag scairteadh Kate Kerins orainn.'

D'fhéach sé ina thimpeall, bhí an ceart ag Julia, bhí an
bhean ar fud an tí fós. Bhí sé dochreidte nach mbeadh sí ag

filleadh go deo. Ní fhéadfadh sé bheith fíor, ní raibh sé fíor, ní ghlacfadh sé leis! Ach phlab an ghaoth an doras is bhain an tuargain a dhein sé preab as a aigne. Ní bheadh sí ag filleadh.

Gan aon choinne bhraith sé an mhaidhm ina scornach is na deora ag déanamh ar na súile. Léim sé ina sheasamh amhail is gur priocadh é. Ní raibh sé chun aon deoir a shileadh agus Julia i láthair, bí siúráilte de sin. Ach bhí smaoineamh ní ba mheasa ag gabháil stealladh air, an mbeadh sé ar a chumas an saol nua seo a láimhseáil, is é sin dul ar aghaidh, a shlí a dhéanamh? Ina aonar? D'fhéach sé timpeall an tí arís; ní raibh sé ach leath chomh folamh is a bhí a chroí; ghabh freang tríd.

Thriomaigh Julia a súile le ciarsúr.

'Séard a mholaim duit, ná a bhfuil de ghiúirléidí sa tigh a chuireann í i gcuimhne dhuit a bhailiú is a chaitheamh amach, tabhair uait don St Vincent de Paul iad.'

'Ambaist nach ndéanfad. Is maith liom aon rud a thugann chun mo chuimhne í.'

'Éist le gaois na sean, tabhair uait a cuid éadaí, bróga, peirfiúm nó cuirfidh siad le gealaigh thú, mise á rá leat. Bhí gaois ag na sean chomh sean leis na goirt.'

'Gach rud mar a bhfuil is mar atá,' ar seisean.

'Bíodh agat, más ea!'

'Beidh.'

Agus bheadh, go mór mór an gúna gorm úd leis na muinchillí scoilte a nocht stialla dá craiceann órga – stíl na meánmhara. Go tobann thosaigh sí ag stealladh uisce arís, bhí sí chuige arís.

'Tá sé in am agaibh bheith ag cuimhneamh ar cad tá romhaibh, is é sin tú féin is an gearrchaile.'

'Ní baol dúinn.'

'Níl an scéal chomh bog agus a cheapann tú, tá sí ag déanamh cumha na máthar.'

'Caithfidh an bheirt againn déileáil leis le chéile.'

'Ní bheidh sé chomh fuirist sin dise – bean eile atá uaithi.'

Thug sé féachaint an-ghrod uirthi, 'conas bean?'

Thriomaigh sí na lámha ina haprún. 'Ná cuimhneofá ar an gcréatúirín a scaoileadh siar go Baile na nGiománach im theanntasa go ceann cúpla mí. Gheobhaidh sí cúram is cóir ó sheisear ban – is é is fearra dhi – mná i dteannta na mban in aimsir bhróin, ní haon mhaith iad na fearaibh.'

Gan aon mhaith sna fearaibh, mhuis! B'in é port na mban ar fud an domhain – scéal cam orthu! Í a scaoileadh siar, an ea? Saol na bpiseog, saol na bpaidríní, saol na bpúcaí, draíocht, claonaigne, gliceas. Bheadh sé gan iníon. 'Ní baol di, searrach na dea-lárach í.'

'Níl sí ach sé bliana d'aois, ar a laghad lig siar go ceann míosa í.'

Sea, is thiocfadh sí abhaile is na *miraculous medals* fuaite isteach ina cuid éadaí, is cá bhfios, ina haigne leis. Ba mhar a chéile é is an 'soup' a thógaint. D'éirigh sé ón mbord is ghabh sé buíochas léi as na clóisíní agus dúirt go raibh sé chun scéal a insint do Annie roimh dul a chodladh di. Mheabhraigh Julia dó gur dhiúltaigh sí dul isteach ina leaba féin is go raibh sí ina sheomra siúd. D'iompaigh sí uaidh is thosaigh ar na gréithre arís.

Thuas staighre d'oscail sé an doras beagáinín chun faire tríd an scoilt ar Annie i ngan fhios di. Leaba mhór *four-poster* a bhí ann – sladmhargadh ar cheant an duine dheireanaigh de na Brigham-Woods. D'fhéach sí an-mhion i bhfairsingeacht bhán na leapan is greim fhíochmhar aici ar a teidí. Bhí sí bán san aghaidh is na súile in imigéin agus b'fhéidir iad rómhór. Agus an ordóg ina béal aici. Rith sé leis gur ar éigean a labhair sé léi le trí lá anuas, de bharr na tubaiste. Bhrúigh sé an doras isteach is dhruid suas go taobh na leapan chuici.

'Haló, Dailí,' ar sise gan a croí laistiar de. B'fhusa léi Dailí a rá ná Daidí is thaitin sé leis. Bhraith sé gur chúlaigh sí uaidh sa leaba. Bhuail sí an ordóg isteach ina béal arís.

'Conas tá mo chréatúirín in aon chor, aon phóg agat do Dhailí?' Chrom sé os a cionn is sciob póg di.

'Féachann tú go hálainn sna *pyjamas* sin. An cuimhin leat cá rabhamar nuair a fuairis iad an chéad lá?'

Thuig sé láithreach an tuaiplis a bhí déanta aige. Cheannaigh Kate di iad i Disneyland i rith an tsamhraidh. Aicíd air mar scéal mar siúd a súile ag éirí scamallach go dtí gur rith na deora léi.

'Cá bhfuil Mamaí, tá mo Mham uaim, anois, an gcloiseann tú, Dailí, anois, mo Mhamaí!'

Isteach leis an ordóg arís. Ba bheag nár thit sé leis an iontas! An amhlaidh nár inis éinne di go bhfuair a máthair bás!

'Cá bhfuil sí. Dailí, cad a dheineadar léi, dúradar go raibh sí breoite, tá eagla orm, Dailí, tá sí uaim!'

Tháinig na focail amach in aon uaill amháin. Isteach leis an ordóg arís. D'fhéach sí suas air agus bhí iarracht den dúshlán ar an bhféachaint.

'Tá sí uaim,' ar sí arís de scread agus bhris an gol uirthi.

Agus tá sí uaimse chomh maith, ar seisean ina aigne féin. Cad a dhéanfaidh mé anois? Sall leis go dtí an fhuinneog féachaint an bhfaigheadh sé inspioráid in áit éigin. Ach níor chuimhnigh sé ar aon rud – ach a luaithe is a bhí an oíche ag titim ar an gcoill, bhain an tigh searradh as féin, agus d'fhás scáthanna trasna an urláir.

Shiúil sé ar ais go dtí colbha na leapan is d'fhéach síos ar an leanbh deorach. Iníon le beirt díchreidmheach ba ea í. Agus tar éis an tsaoil séard a bhí sa díchreidmheacht ná an fhírinne chrua a chogaint. Scaoil amach é, a mhic!

'Annie, a chroí, níl Mamaí linn a thuilleadh!'

Sea, bhí sé raite aige.

Dhein an leanbh iarracht ar na focail a thuiscint is tháinig cuma fholamh ar na súile.

'Cad is brí ... cad tá i gceist agat?' ar sí de chogar.

D'fhéach sí air amhail is gur cluiche a bhí ar siúl eatarthu agus go raibh sé thart anois. Scread sí: 'Tá Mamaí uaim anois chun scéal a insint dom, anois, Dailí!' D'fhéach sí air is chonaic nach cluiche a bhí ann. Leath an scanradh ar a haghaidh.

Bhog a scornach leis an slogadh agus d'fhéach sé timpeall an tseomra féachaint an raibh aon éalú. Bheadh sé seo cruálach. Bheadh an fiaclóir cruálach freisin. 'Annie, an cuimhin leat Bruno?'

'Sea, madra deas,' ba chuimhin leis na súile.

'Sea, madra deas ach fuair sé bás, agus chuireamar sa ghairdín é – sa talamh, faoin bhfód.'

Agus an ceangal?

'Annie, níl sé linn a thuilleadh.'

D'fhéach sé uirthi is bhraith sé na focail sin ag titim trína haigne, ag titim, ag titim chomh mall, chomh fuar leis an sneachta. D'fháisc a greim níos mó ar an teidí is chúlaigh sí uaidh isteach sna blaincéidí.

'An bhfuil Mamaí faoin bhfód?'

D'fhéach sí air amhail is gur sprid a bhí ann. Aha, cailín cliste a bhí aige, ní raibh aon dabht air sin.

'Sea,' ar seisean, amhail is a bhí gaisce á dhéanamh aige, 'Sea, Annie, tá Mamaí faoin bhfód.'

'An bhfeicfidh mé go deo arís í?'

Bhailigh sé pé neart a bhí ina chroí. 'Ní fheicfidh,' ar sé, an-bhog. Ansin chuir sé leis, 'Ní fheicfidh tú í .... go deo arís.'

D'fhéach sí suas air. Bhí na deora imithe faoin am seo is an béal ar leathadh. D'iompaigh dath uirthi is dhein sí slogadh. 'Go deo arís?' ar sise. 'Cad a dheineas as an tslí?' Siúd na deora léi arís. 'Canathaobh ná ligfear dom í a fheiscint arís?' ar sise in aon uaill amháin. 'Dailí, led thoil, lig dom í a fheiscint uair amháin eile.... uairín amháin eile.'

Bhí a bhean ag teastáil uaidh anois níos mó ná an gearrchaile. Níor thuig sí cad ba bhrí le bás. Is dóigh léi go bhfuil sí i seomra éigin sa tigh fós.

Cad déarfadh sé léi in aon chor. Tháinig focail chun a bhéil, gach ceann acu níos measa ná a chéile, focail ón domhan mór amuigh, domhan mór fásta. 'Kate, cad déarfaidh mé léi in aon chor,' ar seisean ina aigne féin.

'Annie, a stóirín, a...., táimid inár n-aonar, ach táimid le chéile freisin, agus táimse, tá Dailí chun aire mhaith a thabhairt duit', dtuigeann tú, beimid sona le chéile,' ar seisean agus a fhios aige go raibh gach focal díobh ina bhréag.

Dochreidteacht a bhí ag leathadh ar a haghaidh. Lig sí béic aisti, 'Mamaí, mo Mhamaí atá uaim, Mamaí amháin, níl tú uaim, Dailí!'

Cad a d'fhéadfadh sé a dhéanamh? Bhí sceon nó rud éigin uirthi mar bhí an fócas imithe as na súile. Chrom sé síos is thóg as na blaincéid suas ina bhaclainn í. D'fháisc sé leis í ach ní raibh sí sásta. Ag iarraidh éalú as a bhaclainn a bhí sí. Go tobann thosaigh sí ag béicigh agus ag gol chomh hard caol sin gur mheas sé gur *fit* a bhuail í. Ní stopfadh sí. Tháinig scanradh air mar ná faca sé riamh mar seo cheana í. Rith sé chun an dorais is d'oscail é is lig scairt as, 'Julia!'

Ach bhí sí ansin ag an doras an t-am ar fad – ag éisteacht ní foláir. Is buacach an fhéachaint a thug sí air nuair a thóg sí an leanbh uaidh go breá réidh; b'ionadh leis a bhoige is a ghéill Annie don tseanmháthair.

'Cad dúrt leat?' ar sise. 'Bean atá uaithi! Is bocht an t-áthas tusa di. Imigh leat ag siúl is fág fúmsa í!'

Bhailigh sé leis chomh stuama is a d'fhéadfadh sé gan féachaint laistiar de. Sa ghairdín chuir sé a dhrom le crann úll. D'fhéach sé mórthimpeall air, ar na leapacha bláthanna a bhí leathdhéanta, agus is leathdhéanta a d'fhanfaidís mar ba le Kate iad. Bhí sé fágtha i ndomhan leathdhéanta duine eile. Agus iomairí cabáiste.

'Cabáiste,' a dúirt sé; tháinig an focal go deas seolta as a bhéal. B'in é an cabáiste ná híosfaí, mhuis. Múchadh an solas thuas staighre. Bhí an tráthnóna ag déanamh suaimhnis agus boige ar an aer – ar an aer sin tháinig monabhar na seanmhná chuige ón gcistin. D'fhéach sé ina thimpeall arís agus go tobann thuig sé. An tsáinn ina raibh sé ba mheasa é ná an aonaracht – ní raibh sé i bpáirt, sea, ina bhall den chine daonna, ach gan a bheith i bpáirt.

Ba leor an smaoineamh chun é a scanrú as an ngairdín agus suas ar ghort an tSionnachánaigh. Dhein sé cosán trí na bulláin go dtí gur bhain sé amach coill na Cluanach. Ar urlár na coille bhí brosna tirim agus duilliúr feoite. Ba shásúil an snapadh briosc a bhain a bhróga astu. Stad sé is chas timpeall. D'fhéach sé uaidh síos ar an tigh.

Ag an bpointe sin díreach thit an oíche. Ní raibh aon solas le feiscint in aon fhuinneog. Níor chuimhin leis go bhfaca sé mar sin riamh é. Chuir sé a dhrom le crann eile. Thagadh sé féin is Kate anseo gach fómhar chun .... Kate!

Kate! Kate! Bhí sé damnaithe aici. B'in é an fáth ná féadfadh sé an cailín beag a ionramháil, mar go raibh sé chomh spleách sin uirthi nach raibh ar a chumas nóiméad a chaitheamh gan cuimhneamh uirthi.

Dúirt sé leis féin dá bhféadfadh sé siúl ar ais go bun ghort an tSionnachánaigh gan cuimhneamh uirthi oiread is uair amháin go mbeadh leis. Sea, sin agat é! As go brách leis síos.

Ní raibh ach deich gcinn de chéimeanna tógtha aige nuair a chuir an scéal seanchill Naomh Fachtna i gcuimhne dó. Bhí sé geallta go raghfá sna flaithis, ach gabháil timpeall na cille deiseal trí huaire gan cuimhneamh ar bhean, olc maith na dona. Níor éirigh leis riamh. 'Ecclesiastical chauvinism' a thugadh Kate i gcónaí air sin. Marbhfháisc air mar scéal, bhí sé déanta aige, Kate! Stad sé i lár an ghoirt. Stad na bulláin is thógadar a gceann. Stad an ré is na réalta. Stad an chruinne. Bhí an saol faoi ghlas. Go dtí gur las fuinneog uachtarach an tí.

Agus ba leis an tigh céanna, agus dar fia ach go raibh sé chun seilbh a ghlacadh air ó Julia. Síos leis, agus isteach sa chistin is shuigh cois tine. Bhí sí ag cniotáil is níor lig sí uirthi go raibh sé tagtha isteach. Ach ní fhéadfadh sí fanúint ina tost.

'Ná cuimhneofá ar na bróga a bhaint díot, táid báite?'

'Tá siad báite is táimse sásta,' b'in an méid a dúirt sé. Bhí sí tar éis a saol a thabhairt ag troid séideán, taisriú, an braon anuas, tae láidir, snas liath, agus dá bharr bhí sí an-ghearánach ar an gcine daonna.

'Mar sin féin, cá mbeifeá dá mbuailfeadh slaghdán amárach tú? B'in an rud a tharla do Jack, go ndéana Dia trócaire ar a anam.'

Ba chuimhin leis a fear céile, fear a thug a thamall ar an

saol seo ag siúl na hiothlainne le buicéad.

'Mheasas gur ailse a fuair sé,' ar seisean agus iarracht bheag den mhioscais ar na focail.

'B'fhéidir go raibh ábhairín beag de air ach ba é an niúmóine a mhairbh sa deireadh é!'

Agus b'in bás creidiúnach – niúmóine. Lean sí léi ag cniotáil, clic cleaic ar siúl ag na bioráin cniotála. Tar éis tamaill rith sé leis go raibh rud éigin as alt. D'fhéach sé timpeall an tí. An clog! Bhí sé stoptha, an 'Dublin regulator' a bhí beagnach dhá chéad bliain d'aois. Kate a dheineadh é a thochras i gcónaí.

'Tá an clog stoptha,' ar seisean. Níor thug sí aon aird air ach lean dá cniotáil. Sall leis go dtí an clog, rug ar an eochair, is d'oscail an aghaidh.

'Nár mhaith an smaoineamh é a fhágaint stoptha? In onóir do na mairbh, is é sin. Go ceann míosa abair?'

Stop an lámh a bhí díreach ar tí tochras. Cad a bhí ar siúl aici? Piseoga! Bhí sí an-tugtha do phiseoga. Agus bhí sé féin agus Kate i gcónaí ag troid na bpiseog de réir mar a bhí Julia ag troid na séideán agus an snas liath. Thosaigh sé ag casadh na heochrach chomh mall agus a d'fhéadfadh sé chun údarás a chur ar an seanbhean. Ach bhí botún déanta aige, mar bhí air anois na *chimes* go léir a dhéanamh ón a cúig a chlog suas go dtína deich a chlog. Ghlac na *chimes* seilbh ar an tigh, agus i ngach *chime* acu teachtaireacht dó féin nár mhaith leis a thuiscint.

Shuigh sé cois tine arís ach faoin am seo bhí na cosa préachta aige, agus ní fhéadfadh sé na bróga a bhaint de. Lean Julia ag cniotáil amhail is a bhí a fhios aici. Sea, bheadh air í a chur abhaile, trí lá eile, ansin turas siar – ticéad singil. Sea, d'fhéadfadh sé féin obair an tí a dhéanamh. Ach amháin an níochán. Agus an chócaireacht.

Bhuel, bheadh air é a fhoghlaim. Go dtí sin, *burgers*. Ag an am céanna bheadh air a aghaidh a thaispeáint amárach mar bhí an droichead le críochnú agus eisean an t-innealtóir comhairleach. Mmmm! Trí lá beagáinín ró-thobann, cad faoi sheachtain. Sea, seachtain. D'éirigh sé is thóg sé buidéal Crested Ten anuas.

'An ólfá cnagaire?'

'Braon den stuif sin níor chuaigh faoin bhfiacail agam riamh.'

Líon sé ceann a raibh dealramh leis amach dó féin is chaith siar é. D'fhan sé leis an mbuille. Raid sé sa bholg é. Lig sé osna bhuíoch as. D'fhéach sé go cliathánach ar Julia. Bhí rud amháin nár thuig sé agus ba é seo é. Cad as a dtáinig Kate? Mar ní raibh ina máthair ach óinseach chruthanta, is ní taise dá hathair é – nuair a bhí sé ina bheatha. Maidir leis na gaolta ní raibh aon chur síos orthu ach aiteann, aiteann comónta gan mhaith. Agus b'in cruthú eile nach raibh aon Dia ann, Kate marbh agus an chuid eile faoi bhláth.

'Ba cheart duit an deoch a thabhairt suas. Go dtí go mbeidh sé seo go léir thart, is é sin.' Bhí sé ar tí an buidéal a chur ar ais sa chófra nuair a labhair sí. Bhain sé an corc de athuair is líon amach ceann maith láidir eile. Siar leis.

Lean sí léi, 'mise á rá leat, deineann an t-ól an t-uafás damáiste. Féach Paky Connor! Cailleadh an óinseach mná air is tá sé i *straight jacket* ó shin. An t-ól, cad eile? Mise á rá leat.'

Bheadh air í a chur abhaile maidin amárach! Gheobhadh sé banaltra éigin chun aire a thabhairt do Annie bhocht. Bhuail sé an corc ar an mbuidéal is thug sé aghaidh uirthi. In ionad fógra díbeartha a thabhairt di is amhlaidh ná dúirt sé ach, 'Táimse ag dul a luí. Neosfaidh mé scéal do

Annie má tá sí fós ina dúiseacht.'

Bhíog sí as an gcathaoir mar a dhéanfadh cat, thit na bioráin uaithi is bhí bagairt sna focail.

'Tá sí ina leaba féin anois. Ná cuimhneofá ar í a fhágaint mar atá sí is gan cur isteach uirthi.'

'Ar mo leabhar breac,' ar seisean ina aigne féin, 'go mbeidh mé ar fud na hiothlainne le buicéad aici gan aon mhoill; nó beidh mé gan iníon.' Níor dhein sé ach féachaint mhallroisc a thabhairt uirthi chun go bhfeicfeadh sí an ghráin, chun go dtuigfeadh sí.

Bhí solas oíche taobh le leaba Annie, í go socair faoi na braillíní, is a hordóg dingthe ina béal aici. Dá n-éisteofá chloisfeá fuaimeanna beaga súraic. Nuair a shiúil sé chuici bhog na súile ach ní raibh aon chomhartha áthais faoi mar a bhíodh seachtain ó shin. Nuair a chrom sé os a cionn d'fháisc sí an teidí léi is dhein fócas ar an bpilliúr.

'Aon phóg agat do Dhailí, a chroí,' is thug sé sonc don teidí. Lean sí den súrac go ceann tamaill gan féachaint air. Go tobann thóg sí í féin ar a huillinn is labhair go cainteach leis: 'A Dhaidí, d'inis tú bréag dom!'

'Canathaobh ná tugann tú Dailí orm faoi mar a dheinteá go dtí seo?'

'Mar, Maimeo, dúirt sí go raibh sé mícheart, leanaí óga a deireann é sin, Daidí is ceart a rá.'

'Maimeo!' Bhí sé díreach ar tí rith síos staighre agus Julia a ruaigeadh abhaile siar. 'Tabhair Dailí orm led thoil,' ar seisean, 'anois cad é seo mar gheall ar bhréag?'

'Dúrais go raibh Mamaí cosúil le Bruno – curtha sa talamh.' Shuigh sé síos ar cholbha na leapan agus eagla air a fhiafraí di cad a bhí i gceist aici.

'Is bocht an scéal é,' ar seisean, 'ach is mar sin atá, a stór, caithfimid cur suas leis.'

Chúlaigh sí uaidh go tapaidh agus d'fhás cuma chrosta ar na súile.

'Níl sí, níl sí! Tá sí sna flaithis mar aon le Dia is a chuid aingeal.'

Thaispeáin sí taobh clé a haghaidh dó go dúshlánach; isteach leis an ordóg i gcomhair cúpla súrac eile, ansin amach arís.

'Agus má bhaineann éinne liom, má bhuaileann éinne mé, cuirfidh sí aingeal síos ó neamh chun mé a chosaint.'

Isteach arís leis an ordóg.

Bhíothas tar éis preab a bhaint as, ceann gan choinne, agus níor thuig sé conas ba cheart dó é a ionramháil – bhí sé mar sin i gcónaí le preabanna. Bhí a chuid cainte briotach nuair a labhair sé, stop sé, d'fhéach arís go fuar ar a iníon.

'Cé chuir an raiméis seo id cheann?'

'Maimeo!' a dúirt sí le dúshlán, ach chrith taobh a béil le méid an amhrais. Ansin thosaigh sí arís, ach an t-am seo bhí impí ar a glór is na deora le cúinní na súl.

'Tá sí thuas sna flaithis anois agus tá sí ag féachaint anuas ar an mbeirt againne agus tá sí ag gáire – agus lá éigin gheobhaidh Maimeo agus tusa agus mise bás agus ansin raghaimid suas chuici agus beidh an-*time* go deo againn. Nach fíor sin, a Dhaid, abair gur fíor, abair sea, abair sea, a Dhaid, uairín amháin eile.'

Bhí na dathanna ag iompó ar a haghaidh de réir mar a bhí an misneach ag líonadh is ag trá. Isteach leis an ordóg is gach súil in airde aici ar an athair. D'fhéach sé síos uirthi agus é ar bheagán dóchais. Shuigh sé taobh léi is rug ar lámh uirthi. Bhí an lámh chomh lag le stoca.

'Annie,' ar seisean, 'tusa is mise, caithfimid ....'

Chúlaigh sí a thuilleadh uaidh. Níor chríochnaigh sé an

abairt mar ná feadair sé cad ba cheart dó a rá. Bhí ag teip ar an misneach agus bhí sé tuirseach, tuirse na seacht saol. Ní raibh ach smaoineamh amháin aige, 'Kate, cá bhfuil tú anois.' Sea, thuigfeadh sí láithreach cad ba cheart a dhéanamh.

Lean sé air, 'Annie, caithfimid.... an dtuigeann tú.... caithfimid an fhuinneog a dhúnadh mar tá sé fuar.'

Shiúil sé trasna an tseomra is stad ag féachaint an fhuinneog amach. Ní raibh le feiscint ach imlíne na coille is corrán gealaí os a chionn in airde. Bhí rud uaigneach i gcónaí ag baint leis an gcorrán gealaí.

'Tá an fhuinneog dúnta cheana féin, a Dhaidí!'ar sise.

Ghluais sé ar ais. 'Agus an ceart agat, a chroí.'

Thóg sé a lámh arís. 'Féach, a chroí, caithfidh misneach a bheith a.... Ach thuig sí láithreach an dul a bhí ar a chuid cainte, is phléasc sí amach ag gol! Ní raibh aon chosaint aige ar ghol. Uair amháin a dhein Kate air é is ghéill sé an chruinne di dá bharr. Ach ní raibh sé chun glaoch ar Julia an tan seo. Phioc sé as na braillíní í go deas séimh is thóg ina bhaclainn. Níor dhein sí aon chur ina choinne an turas seo ach lean sí den phusaíl. Ansin stop an gol go tobann agus labhair sí os íseal ar fad ar fad:

'A Dhaidí, abair na fuil Mamaí amuigh sa talamh fuar, abair é, a Dhaidí.'

Shiúil sé síos is suas an seomra ag smaoineamh ar an gceist. Níl aon dabht air ach is cruaidh an cás do ghearrchaile é. Stop sé i lár an tseomra. Ach is measa mar chás agamsa é, ar seisean ina aigne féin. B'in é an dara huair gur bhuail fonn goil é, is ba bheag nár bhris na deora amach air. Stop sé ag an bhfuinneog is d'fhéach arís ar an gcorrán gealaí. Labhair sé an-íseal isteach ina cluas.

'Níl Mamaí amuigh sa talamh fuar.'

Níor fhéach sí air ach bhain an ordóg amach arís.

'Agus níl sí san áit ina bhfuil an madra?'

'Níl.'

Lagaigh sí ina ghreim. Isteach leis an ordóg an fhaid a dhein sí an t-eolas nua seo a chur trí chéile. D'fhiafraigh sí de i gcogar an-íseal ansin agus iarracht bheag den ghol fós laistiar de na focail, 'Agus tá sí sna flaithis mar aon le Dia is na haingil?'

Cad a déarfadh sé anois? Díchreidmheach ba ea é nár luaigh an focal Dia riamh le hAnnie. Mar sin féin ní raibh sna flaithis ach meafair. Agus bhí gá ag páistí le meafair. Agus gá níos mó ag daoine fásta leo. Kate sna flaithis – ba dheas an íomhá é, bhí sé compordach agus ar chuma aisteach thug sé sólás dá chroí cráite.

'Tá,' ar seisean, 'tá sí sna flaithis.' Ghluais na focail go deas seolta as a bhéal. Díchreidmheach ba ea é a bhí anois tar éis peaca marfach a dhéanamh.

'Bhí an ceart ag Maimeo, a Dhaidí?'

'B'fhéidir.'

'Agus an bhfuil na flaithis lán d'aingil.'

'Tá.'

'Agus an ndéanfaidh siad mé a chosaint i gcónaí?'

'I gcónaí.'

'Agus an bhfuil Mamaí ag gáire anois?'

'Tá.'

Bhí sé cinnte de rud amháin anois, dá mbeadh Kate anseo bheadh sí ar buile chuige. Canathaobh? Mar bhí an bheirt acu an-daingean i gcónaí i gcoinnibh Dé. Ach bhí an leanbh an-socair dá bharr. Bhí sí ag meamhlach is ag tarrac léi ar an ordóg. B'fhéidir nach mbeadh Kate ar buile chuige.

'Cén saghas gúna atá á chaitheamh aici, a Dhaidí?'

Bhain an cheist siar as. 'Conas gúna?'

'Tá's agat gúna. Sna flaithis. Anois?'

'Tá gúna nua á chaitheamh aici,' ar seisean. 'Tá sé gorm agus luascann sé nuair a shiúlann sí.'

Agus thug an íomhá sin an-sólás ar fad dó. Ag gáire sna flaithis agus gúna breá gorm. Ba dheise d'íomhá é ná a bheith sínte sa chré fhliuch i dteannta an mhadra. Agus íomhá eile Annie, an triúr acu le chéile am éigin arís, thug sin sásamh dó is shéid sé teas isteach ina aigne sceirdiúil. Thuig sé anois go raibh rud éigin tar éis teitheadh as a mheon, an díchreidmheacht, tar éis teitheadh in éineacht leis na mílte scáthanna, scáthanna a bhí tar éis a shaol a bhochtú.

Bhí an gearrchaile go sámh ina codladh faoin am seo agus lean sé ag siúl suas is anuas an seomra go dtí gur stop sé ag an bhfuinneog arís. Bhí tarrac éigin ag an bhfuinneog air, an ghealach, is dócha, sea, é a bheith go hard sa spéir, cosúil leis na flaithis, arc, geal is é ag geallúint.

Bhí réiltín amháin in aice na gealaí – bhí sé mar a bheadh súil chait. É seo agus b'fhéidir an tost a bhí titithe ar an saol a thug na deora go dtí na súile aige sa deireadh. Rud seascair ba ea an gol, é te agus faoiseamh mór ina dhiaidh. Tháinig na línte filíochta ab ansa léi go bruach a bhéil is dúirt sé iad go híseal:

Twilight and evening bell
And after that the dark,
And may there be no sadness of farewell
When I embark.

Iomarca an Áir

Nuair a bhíos a deich cailleadh mo mháthair, rud a chuir as do m'athair go mór, mar nach bhféadfadh sé féachaint im dhiaidhse agus i ndiaidh na gcapall in éineacht. Ní raibh aon mhaith ann chun a leithéid de rud, dúirt sé ag an stáisiún agus mé ar bord traenach go scoil chónaithe i bhfad siar in Éirinn. Sheol seanmhanach sinn fan fallaí an chaisleáin agus thaispeáin sé poll a bhí bainte ag caor na ngunnaí móra. Inár nduine is inár nduine chuireamar ár gceann sa pholl chun go mbraithfimís iomarca an áir.

Ní thiteann an oíche ar chaisleán. Tagann sí na céimeanna aníos is an doras mór isteach, is gabhann sí an áit ina hurlár is ina hurlár go dteanntaíonn sí íochtar an lae ar bharr na dtúr. Agus is mar sin a d'fhaireamar an dorchadas ag líonadh na spásanna idir ár leapacha, is bhraitheamar ár n-aigne ag luascadh ar aon rithim leis na crainn iúir. Chualamar uainn i bpasáiste an chaisleáin na manaigh ag glaoch ar a chéile go mursanta scornúil.

Rinne bean a' tí scrúdú orainn. Bhí sí fionn, eachtrannach, agus go hálainn ar fad, dar le cuid de na buachaillí. Ba é rún a saoil ná síorchath a fhógairt ar shalachar agus ba mhinic an deirge ag adhaint ina snua le sásamh sa troid sin. Chlaon a corp chugam is líonas mo chliabh lena cumhrán. Chuir sé i gcuimhne dom maidin lae Nollag is bricfeasta sa leaba. Sciomraíos m'ingne, ghlanas m'fhiacla cúig huaire sa ló, is dheineas mo bhróga a shnasadh go raibh braonacha allais ag glioscarnach ar an leathar. B'fhiú an bráca an lá a thóg sí mo smig idir a dhá bhois is d'fhógair gur mé an garsún ba ghlaine sa chaisleán.

Cara liom darbh ainm Desmond, ó Mheiriceá, bhí teipthe air aird bhean a' tí á thabhairt air féin. An lá a mbeadh na cluasa is na hingne ar fheabhas bheadh na bróga imithe dóibh féin. Ghoilleadh sé go smior air leis, nuair a thugadh sí Damien air. Cailleadh a thuismitheoirí i dtimpiste bóthair toisc go dtiomáineadh a athair fíochmhar tapaidh. Ba bhreá leis cur síos ar an gciotrainn. I bhfad thuas ar bharr crainn a bhí an *fender*. Bhailigh daoine ag bun an chrainn chun go bhféachfaidís suas ar a chróimiam glé ag lonradh sa ghréin. D'impigh sé orm insint dó faoi chapaill m'athar ach d'éiríos chun feirge chuige is dhearbhaíos gur ghráin liom capaill.

Bhíomar ag gabháil don Ghréigis. Chaitheadh manach na Gréigise *monocle* is ba mhór an taitneamh a thug sé do na Gréagaigh mar i gcúrsaí ealaíne agus feasa agus i gcúrsaí cogaidh rugadar an bua leo thar chách. Leanamar Xenophon agus a dheich míle fear trí na gaineamhlaigh, mí i ndiaidh míosa, go dtángadar faoi dheireadh go ciumhais na mara is go dtógadar an liú stairiúil 'Thallatta, Thallatta' ('an Mhuir, an Mhuir'). Thit an *monocle* de logall an mhanaigh le méid a chaithréime agus gháir sé dá réir. Gháireamar leis mar ba é ba chríoch le comhréir chrochta an Anabasis. Thángamar ar chathair Olynthus. agus an cor a d'imir Pilib orthu. Ghabh sé an chathair le feall is scrios sé láithreach é is sheol gach mac máthar thar lear ina sclábhaí.

'Na páistí leis?' arsa sinne.

'Scaradh na páistí lena dtuismitheoirí, scaradh gach éinne lena dhaoine muinteartha.'

'Ní raibh sin ceart ná cóir' arsa sinne agus alltacht orainn.

'Níl ceart ná cóir i gcúrsaí cogaidh.'

'Ghéillfimís duit i gcás na bhfear agus b'fhéidir i gcás na mban ach na páistí. Cad a dhein na páistí as an tslí?'

'Rugadh in Olynthus iad'

'Ní raibh sé féaráilte'

'Ní raibh féaráilteacht i gceist. Ní raibh ann ach ádh nó mí-ádh.'

Bhíomar suaite go maith ag scéal Olynthus, is d'fhág sé corraithe sinn. Thógaimís ár gcuid bia sa Halla Mór. Bhí bord na manach os comhair an tinteáin mhóir mar a raibh comhartha gearrtha i gcloch an iarta, *In hoc signo vinces* – curtha suas ag scata Gael éigin a mheas go raibh Dia leo. Thógadh na manaigh fíon lena gcuid bia, súrac toll an choirc á tharrac ag baint gliondair asainn-ne, agus mos na seanEorpa á scaoileadh chun ár srón. Ach i dtíortha i gcéin bhí cathanna ar siúl. Tar éis dinnéir bhailíodh na manaigh go minic timpeall an raidió sa halla thoir ag éisteacht le craolta eachtrannacha. D'éistimís go léir le gearradh na gconsan is le caolú na tuine, leis an mbagairt scornúil, agus ar feadh na faide bhreathnaímís aghaidheanna na manach ag bánú. Tharla go raibh scéal an raidió chomh hainnis sin acu oíche amháin gur cuireadh an dinnéar siar.

Bhuaileadar isteach in aon líne amháin sa Halla Mór gan le cloisint ach glioscarnach a gcuid éadaigh. D'iarradar orainn guí chun Dé ar a son. Bhí barrliobar ar ár nglúine le fuacht na leac ach d'imir rialtacht an Liodáin ar ár n-aigne is ba mhór an sásamh a thug sé dúinn fir tréana a fheiscint ag dul ar scáth na lag.

Uair amháin i rith an earraigh tháinig m'athair agus bosca capaill leis. Ghluais an Mercedes go maorga trí gheataí an chaisleáin is shín an carr le bun na gcéimeanna. Sheasas féin le hais an dorais mhóir agus cé go raibh sé ag clagarnach choimeádas mo chaipín im ghlac. Ba mhór an fháilte a chuir an tAb roimhe. Bhí cleite dearg ceáfrach sáite i hata m'athar. D'imigh an bheirt acu siar go cúl an bhosca gur chuir an tAb a shúil le scoilt sa doras. Bhrostaigh beirt mhanach eile tharam na céimeanna síos is dhein amhlaidh. Ba bhreá an capall go deo é. D'fhill m'athair cába a chasóige ar a mhuineál agus ghrinnigh sé go géar amach faoi bhos a hata ar tháibhle an chaisleáin agus d'éist le sileadh na fearthainne trí na crainn.

'Is fíor gur breá an capall é ach is fuirist é a bhaint dá threoir. An bháisteach is mó a ghoilleann air.'

D'admhaigh an tAb go raibh an donas ar aeráid an iarthair le fliche ach 'In ze East of ze country it voss arid ya?' Sháigh m'athair dornán punt isteach im lámh is leag a lámh ar mo cheann báite. Dúirt sé go raibh cuma na sláinte orm. Dúirt an tAb go bhfuaireamar a raibh uainn agus nach raibh aon cheal orainn. Lean mo shúile an gluaisteán go raibh na mílte clog fearthainne greamaithe dá snas galánta, ag éalú leis geata an chaisleáin amach, a aghaidh soir ar ghaineamhlaigh Laighean mar a bhféadfadh staileanna a monga a chaitheamh sa triomach.

Níor chreid Desmond go raibh m'athair tar éis a bheith ar cuairt chugam gur thaispeánas na nótaí puint dó a bhí ina leitís faoin am seo ag an mbáisteach. Dúirt sé go rabhas rósprionlaithe le m'athair is nach labhródh sé go deo arís liom. Dúirt sé go raibh sé fíorbhréan den chaisleán mar nach mbíodh faoi chaibidil ann ach cogadh agus bás agus ochslaíoch leithliseach, agus dubh ar fad a chaitheadh na manaigh. Bhí sé chun iarraidh ar The First New England Bank a bhí mar urbhac cúirte air é a sheoladh ar ais go *Co-ed.* mar a mbeadh an-chuid cailíní dathúla i ngúnaí daite agus banmhúinteoirí a bheadh i bhfad níos deise ná bean a' tí. Chomh luath is a luaigh sé a hainm ghlac fearg chuici é, dúirt gur chuma leis salachar agus chaith sé é féin anuas ar phaiste chac bó sa chlós feirme.

Istoíche sa suanlios nuair a dhúisínn chloisinn iad ag glaoch trína gcodladh ar dhaoine nach bhfreagródh go deo iad.

Thóg an manach tíreolaíochta sinn lá geimhriúil éigin tríd an gcaisleán. Dúirt sé gur i gcoinne na gaoithe aniar a dhaingnigh na tógálaithe is na saoir an caisleán an chéad lá. Ach bhí teipthe orthu dar leis. Thaispeáin sé coinnle an Halla Mhóir dúinn, iad go léir ag sileadh ar an taobh thoir. Rug sé an bua sin leis, agus sinne in éineacht, go díon an chaisleáin, áit ar thug sé faoi cheacht a mhúineadh ar an Oighearaois. Bháigh an fhearthainn ár gcuid éadaigh is chaolaigh sé dúch ár gcóipleabhar. B'iúd lán an ghleanna de cheo faoinár ndéin, géaga air, fuadar iomrascála air. Scoilt an caisleán sruth an cheo ina dhá leath ach rith sé le chéile arís laistiar den bhábhún. Bhí an manach ag screadach faoin oighearshruth in ard a chinn – amuigh ansin in áit éigin a bhí sé fadó, is bhí sé tar éis mant an ghleanna a bhaint as an sliabh. Ba bhrú ar an tsamhlaíocht é, ailtire fuar seo an nirt ghloiní ag búirthíl is ag pléascadh leis. Ach bhuaigh an aimsir is chrom cuid againn ag cúlú is ag drannadh.

D'éalaíomar linn inár nduine is inár nduine. Bhí an manach gan a bheith róshásta linn. Sall leis go béal staighre an túir agus scairt síos mar olc orainn. 'Tá oighearaois eile chugainn, leagfar an caisleán, agus déanfar cairéal gainimh as Éirinn uile fós – mise á rá libh. Ba róbheag a bhí ag teacht chuige de shásamh mar ní raibh éinne ag éisteacht – titeadh an tóin ar an saol amárach. Thug sé féachaint amháin eile ar an tírdhreach. 'B'amaideach an rud caisleán a thógaint anseo, faic le gabháil, faic le cosaint, ach tíreolaíocht,' ar seisean.

I rang na Gréigise thuirsigh an gleo catha sinn, gach re lá marcshlua na Spartach ag déanamh giobail de chúlgharda na bPeirseach, dícheannadh poiblí, foréigean á imirt ar mhná na Téibe – bhí an seomra ina chosair chró. Nuair a thángamar go cath Maratóin chnead an rang in éineacht. Ní raibh cur síos ná insint scéil ar an mbascadh a fuair na Peirsigh.

'Cad mar gheall orthu siúd gur briseadh orthu?' arsa Desmond.

'Iad siúd gur briseadh orthu briseadh orthu agus sin deireadh leo,' arsa an manach.

'Briseadh ar na Gaeil,' arsa duine éigin.

'Gael ba ea m'athair,' arsa Desmond.

Thug an manach aghaidh orainn is shocraigh an *monocle*.

'Is í an Ghréigis teanga lucht bhuaite, is í an Ghaeilge teanga lucht bhriste.'

'Ní dhearnamar Gaeilge riamh,' arsa duine éigin.

Shiúil an manach sall go dtí an fhuinneog chun machnamh a dhéanamh ar an eolas seo. Ansin labhair sé leis féin mar dhea. 'Uaireanta bíonn dínit ag baint le briseadh.'

Ansin d'inis sé dhúinn go raibh seanduine a raibh Gaeilge aige ina chónaí ina aonar ina leithéid seo d'oileán agus go dtabharfadh sé ann ar picnic sinn mar rófhada a bhíomar ag broic le bua is gur mhithid blas a bheith ar an mbriseadh, chun an scéal a choimeád in ionannas. Thógamar liú áthais nuair a chualamar é seo – faoiseamh ón nGréigis – ar éigean a d'fhéadfaimís codladh a dhéanamh istoíche leis an tnúthán.

Gheal an lá sprioctha orainn is bhí sé ina shamhradh ceart. Ní raibh scamall ná a shliocht le feiscint ach an spéir in aon chrioslach goirme amháin. Thóg na fallaí an teas is chúlaigh croí geimhriúil an chaisleáin. Bhí bean a' tí gáireach thar mar ba ghnách, is í ag stiúradh na meithle a bhí ag déanamh an *hamper*. Leanamar an manach síos go dtí an caladh, gach duine agus a chrios dearg tarrthála air. Tógadh na seolta is chuir an t-aer lag maig bheag ar an gcrann seoil is d'éalaíomar béal an chalaidh amach. Suite i mbéal tuile a bhíos-sa agus radharc agam ar na hoileáin is na hinsí agus iad mar a bheidís ar snámh ar na creasa cúir. Ní raibh oiread gaoithe ann is a dhéanfadh cosa madraí rua ar an uisce duit. Thuigeamar gur de chlann na cruinne sinn is go mba linn a raibh le feiscint.

Shroicheamar an t-oileán seo is d'éiríomar amach go scléipeach ar an gcloch. Bhí sráidbhaile de sheantithe 'is a thóin san uisce' nach mór le hais na slipe.

'Cér leis na tithe?'

'Na háitreabhaigh,' arsa an manach. 'D'fhágadar an áit seo fadó, iad go léir ach an seanduine. Ní bheid ar ais. Táimse ag dul ar an gcnoc ar thuairisc mo dhuine.'

'Cén fáth gur fhágadar an áit?'

'Briseadh orthu', arsa an manach is bhuail sé a mhéar ar a leiceann.

'Ní raibh aon troid iontu', is chas sé uainn i gcoinne an aird.

Chuamar ag pluaiseoireacht idir na tithe. Bhí doirse ar chuid mhaith díobh ach bhíodar uile ar leathadh. Leagadh cathaoir, plabadh doras, ansin buaileadh cic ar bhuicéad, ansin scairt gháire. Chualathas gloine ag briseadh. Go tobann bhí dhá arm fear sáite ina chéile, lucht ionsaithe agus lucht cosanta. Briseadh fuinneoga, stracadh doirse de na hursaineacha, sádh troscán sna bearnaí. Níor bhriseas rud riamh ach anois bhí an diabhal thiar orm i gceart is mé ag stracadh na slinnte den díon is ag crústadh lucht cosanta le moirtéal. Ghabh riastradh sinn. Chonac Desmond ag gabháil de chiceanna ar threalamh iascaigh, ag déanamh smionagair de sheanphotaí gliomaigh. Thugas féin faoi staighre lofa le barra iarainn is ba cheol lem chroí an bascadh agus an bhatráil a fuair an t-adhmad.

Pilib mise. Arís is arís ghabhas Olynthus is sheolas lucht cosanta ina ndaoir thar lear. D'éirigh gleo troda agus glór damáiste agus batrála chomh hard sin gur rith an manach ar ais. Ba bheag nár bhris a ghol air nuair a chonaic sé an scrios a bhí déanta. Bhí náire agus ceannfaoi air a rá is go ndéanfadh buachaillí an chaisleáin a leithéid. D'éalaíomar inár madraí bradacha ina dhiaidh.

Sheol sé isteach i seanteach sinn mar a raibh seanfhear suite cois tine. Bhí an áit cúng, brocach, is bhain fuarbholadh an aeir snag as mo chliabh. Bhí sé dorcha leis, mar bhí mogaill na gcuirtíní ag tachtadh sholas an lae. Bhí seanmhadra caorach faoin mbord agus an chuma air go raibh an saol i mbarr a ghoib aige. Chúngaíomar isteach, thall is abhus, cuid againn nach suífeadh ar an urlár de bharr an tsalachair. Bhí cúpla fód ar chráindó ar an teallach, snáth deataigh á thochras timpeall an chitil aníos astu. Bhí an seanduine an-aosta, a chuid éadaigh snasta ar crochadh ina málaí air.

'Ní bheadh bean a' tí róshásta anseo', arsa duine éigin de chogar.

'Tabhair cúpla *bucks* don seanbhuachaill is bímís ag bogadh,' arsa Desmond.

'Suígí aníos,' arsa an manach go toghail linn.

Dhruideamar suas, is shuíos os comhair na tine. Bhí bróga mo dhuine le m'ais, iad mar a bheidís ar ancaire ar an tinteán. Bhí a lámh chlé ar sileadh le m'ais is b'ionadh liom an méid móna a bhí gafa sna hingne. Go tobann labhair sé leis an manach, as Gaeilge, is dócha. Ba gheall le guth ón alltar é, nó uisce á thaoscadh as folcadán. D'inis an manach dúinn go móraigeanta go raibh an fear tar éis fáilte a chur romhainn, go raibh an Ghaeilge ina teanga uasal ársa is go raibh sí chomh deacair leis an nGréigis, is go raibh sí ag fáil bháis anois. Thit tost sa seomra ar feadh tamaill. De phreib d'éirigh olagón as an súgán taobh liom is léim a raibh sa seomra. Chuaigh an t-olagón i méid gur chaolaigh sé ina uaill. Lean an uaill gur thit sí le faill síos faoin gcathaoir. D'fhéachamar go léir ar a chéile agus alltacht orainn. D'fhéach an manach go fiochmhar orainn go léir is bhog sé a cheann siar is aniar á rá linn mar dhea gur amhrán é seo is go gcaithfimís éisteacht leis.

Gan aon choinne stop sé agus bhíomar an-bhuíoch go raibh sé thart. Ach ní hamhlaidh a bhí – ag saothrú anála a bhí sé is scaoil sé bleaist nótaí gan dealramh amach ar fud an tseomra. Thuigeas ansin go raibh an madra marbh mar níor chuir sé aon chor as. Go tobann rug sé ar lámh orm is bhraitheas cloig na mblianta ar mo mhéara. D'fhéachas de gheit sall ar an manach. Dhein sé leamhgháire liom a dúirt go diongbháilte liom go gcaithfinn ligint dó. Is amhlaidh a bhí mo lámhsa uaidh chun sonnchrith a dhéanamh leis na nótaí arda.

D'fhéachas suas ar na súile braonacha, d'fhéachas isteach i bpluais dhorcha a bhéil is ar na fiacla dubha ar crochadh dá dhrandal uachtair; bhí cloigeann feicthe agamsa i reilg tráth dá raibh. Ba mhar a chéile an dá chloigeann anois, an drannadh céanna leis an saol, drannadh cine, drannadh mhuintir Olynthus le Pilib. Bhíos-sa scanraithe ag tigín seo an oileáin is lúbas is chasas gur shaoras mo lámh. Stop an t-amhrán is d'fhéach an slua orm. Osclaíodh an doras is scairt an bádóir isteach orainn go raibh an ghaoth aistrithe go haird na doininne is go gcaithfimís seoladh láithreach. Thug an slua seáp faoin doras is ghlanamar an bealach síos chun na slipe.

Amuigh i lár an bhealaigh rug an ghaoth orainn is dhein an bád longadán sceiteach ó bharr go log na dtonn. Bhíos suite ar an tochta seoil is greim agam ar an gcrann agus radharc uaim siar ar an oileán. Thuigeas-sa ansin go mbeadh cuimhne agam go deo ar an lá a scriosamar Olynthus agus ar an gcéad uair a dheineas iarracht ar an rud seo a dtugaimíd saol air a thuiscint.

Iníon Léinín

Bhí Seán Herlihy ar a chorraghiob ag tairneáil fógraí ar chleitheanna. Is mar seo díreach a thosaigh an Chríostaíocht an chéad lá, casúr is tairní, ar seisean leis féin. Díreach ansin thug sé faoi deara go raibh P.J., a chomhoibrí, tar éis an focal 'Amendment' a litriú le 'm' dúbailte. Bhí sé tugtha faoi deara aige go raibh daoine neamhliteartha an-tógtha le feachtais mar seo.

'P.J., aon seans go ndéanfá roinnt tairneála agus an scríbhneoireacht a fhágáil fúmsa go ceann tamaill.' Agus an casúr á chur aige i lámh P.J. tháinig glaoch gutháin an-phráinneach i gcomhair an Ath. Seán Pierce Madden. Sagart paróiste Ráth an Domhnaigh a bhí ar an líne.

'Ní féidir tú a chloisteáil,' arsa Seán. 'Sibhse ag casúireacht freisin?'

Bhí. Agus bhí eagla ar Phierce go mbuafaí orthu sa reifreann. Dar leis bhí brú an-láidir le braistint ó na *media* le gairid. Dúirt Seán leis go mbíonn feachtais mar seo suas is anuas i gcónaí mar yó-yó.

'Ní hea in aon chor,' arsa Pierce, 'tá an ceann seo mar bhainne – nuair a ghéaraíonn sé fanfaidh sé géar. Tá's agat *Colley's well-heeled ladies*, thuas anseo táid ag braiteoireacht ar dalladh.'

'Dhera ná bac iad siúd,' arsa Seán, 'is mó a gcáil ná a luach.'

Bhí tost ar feadh tamaill. Ansin dúirt Pierce go raibh i bhfad níos mó i gceist anseo ná ginmhilleadh. Dá dteipfeadh orthu bheadh briste ar chumhacht na hEaglaise go deo in Éirinn.

'Caith as do leabhar é, a Phierce, tá buaite cheana féin againn,' arsa Seán leis, ach ina aigne féin thuig sé go mba dhuine acadúil é Pierce nár cheart é a ligean i ngiorracht raon cloig do ghnó paróiste. Lean Pierce air go tormasach diúltach ag rá 'más áil leat deimhin a dhéanamh ded chairde ná tástáil iad' agus mar sin de gur chuimhnigh sé ar an teachtaireacht. Ní fhéadfaí é a rá ar an nguthán – focal a bhí tagtha anuas ón té ab airde cleite, má thuig sé uaidh é; níos tábhachtaí ná an reifreann féin. Chaithfeadh sé a bheith thíos ag Pierce ar a naoi ar maidin cóir máireach.

Ar a ghabháil amach dó an mhaidin dár gcionn rug sé leis cóip de *Bhunreacht na hÉireann*. Má bhíothas leis an mbunreacht a leasú bhí sé chomh maith aige é a léamh am éigin.

Ar a deich a chlog míníodh an scéal ar fad dó go tapa in oifig Detta Hearne, Príomhoide Phobalscoil Bhun na gCarball. Bhí a hoifig maisithe le póstaeir ar a raibh bunóca gealgháireacha agus scríbhneoireacht orthu ag fógairt Naofacht na Beatha. Os cionn Detta in airde bhí macasamhail mhéadaithe de chárta vótála.

Ba dhuine í Detta a chuirfeadh údarás ar éinne a d'fhanfadh fada go leor ina cuideachta. Labhair sí go fuaimintiúil. Bhí post Fraincis/Gaeilge ag imeacht sa scoil. Bhí bean a raibh post páirtaimseartha aici ag múineadh na n-ábhar seo le bliain anuas, tar éis an-teist a thabhairt uirthi féin mar oide. Ach ag deireadh an téarma seo caite bhí sí seachtain amuigh le breoiteacht. Bhí fianaise ag Detta gur go Sasana a chuaigh sí is ba mhór an t-athrú a dhein an tréimhse thall di. Thuig na daltaí. Thuig na tuismitheoirí. Ar thuig an tAthair Seán? Thuig. 'Chomh maith leis sin tá sí ina ball de na heagraíochtaí seo a leanas.' D'iompaigh sí cárta amach i leith na sagart. Léigh siad an liosta:

Well Woman Centre
A.l.M.
Woman's Right to Choose
Rape Crisis Centre
Women's Political Association
A.F.M.F.W.

agus cúpla ceann eile nár airigh ceachtar den bheirt shagart. Chlaon sí amach ina dtreo. 'Níl aon tslí don duine seo sa seomra foirne seo againne. Tusa, a Athair Seán, is tusa a bheidh mar Chathaoirleach ar an mbord ceapacháin inniu – ní fios cé a bheidh ann amárach. Tá sé socraithe agam go raghaidh an bhean seo isteach chugat.' Ansin dúirt sí i gcogar os íseal gurb í an saghas í seo a mbeadh cara sa chúirt aici is nár scrupall léi é a úsáid.

'Cé a bheidh ar an mbord i mo theannta?'

D'inis Detta go mbeadh Cecil Falvey, Fianna Fáil, Joe Heaslip, Páirtí an Lucht Oibre, Robin McCarthy, Fine Gael agus mar sin de. Bhí aithne mhaith ag Seán orthu go léir. Caitlicigh mhaithe ba ea iad go mb'fhurasta údarás a chur orthu. 'Agus Seosamh Ó Mianáin,' ar sise, 'duine den fhoireann teagaisc é siúd. Tuigeann seisean.' Bhí miongháire bogásach ar a béal.

D'fhan Seán ina thost ar feadh tamaill, *Bunreacht na hÉireann* á bhrú is á fháscadh ina lámha aige le teannas. 'Detta,' ar seisean sa deireadh agus an-chúram á dhéanamh de na focail aige. 'An-mhianach múinteora atá inti, ba mhór an chailliúint í a scaoileadh chun siúil, agus is beag an baol go dtiocfaidh na daltaí faoi anáil a cuid fealsúnachta.'

Ag an bpointe sin chuimhnigh Detta gur bhean í is d'athraigh sí dá réir. Tháinig boige agus binneas ina guth.

'Bean mar í seo, a Athair,' agus bhuail sí a méar ar an gcárta, 'is minic a bhíonn stiúir na troda orthu de bharr eachtraí pearsanta ina saol. Ní réiteodh iomhá na scoile seo léi. Gheobhaidh sí post i scoil eile.'

'Cé a gheobhaidh an post más ea?'

D'inis Detta dó gurbh fhearr gan éinne a cheapadh go fóill, go mb'fhéidir go ndéanfadh sí póitseáil ar scoil éigin eile. Ní raibh an bheirt shagart sásta agus chuireadar é sin in iúl do Detta.

'Tá fios mo ghnó agam, riaraim scoil', ar sise.

'Riaraimid Impireacht ár dTiarna,' arsa Pierce agus ladhar faiteach á chur sa scéal aige. Chlaon Detta ina leith, bhí an bhoige imithe. 'Ar ámharaí an tsaoil níl aon Ardteist ná córas pointí in Impireacht ár dTiarna. Is mór an brú atá curtha ar an scoil seo ó na mná rialta thuas agus na Bráithre thíos an bóthar, ach má fhágann Dia mo shláinte agam cuirfidh mé dream amháin acu ar a laghad le falla.'

D'fhan smuilc ar bhéal Detta chun cur le cumhacht na bhfocal. Ghabh Seán Herlihy a bhuíochas le Dia go raibh Detta Hearne ar a dtaobh, agus a bhuíochas nach raibh sí ina pharóiste féin. Agus an bheirt acu ag fágáil na hoifige, arsa Pierce i gcogar le Seán: 'Nuair a fheicimse aghaidh mar sin tuigim gur dheineas an rud ceart agus dul le sagartóireacht.' Nuair nár thug Seán aon toradh air lean sé air. 'Ar thit íoróin an scéil leat? Má ghinmhilleann sí ní bhfaighidh sí an post, dá saolófaí an leanbh ní bhfaigheadh sí an post.'

Bhíodar ag meilt ama go ham an agallaimh agus iad ag siúl ar ghrean an chlóis. 'Beidh sí siúd gan phost má leathann Detta an scéal uirthi.'

'A, ní dhéanfadh sí rud mar sin,' arsa Seán ach thuig sé nár labhair sé fíor. Bhí amhras air agus thuig sé go ndéanfadh an t-amhras céanna giobail dá dhea-ghiúmar dá ligfeadh sé dó. Stop sé go tobann. 'Géillim duit, is rud sobhriste struchtúr an phobail ina mairimid agus is furasta séideadh faoi. Ní haon phicnic é an saol ach caithfear seasamh éigin a dhéanamh.'

Eispéireas marbhánta a bhí san agallamh mar is gnáth. Ba bheag nár dhein Seán gáire nuair a chonaic sé an múinteoir. Ní raibh aon oidhre uirthi ach Detta Hearne óg agus dóthain teasaíochta inti chun aon scoil a chur trí thine. Ní bhfuair sí an post.

Bhí béile mór eagraithe ag Pierce Madden thuas in Óstán an Killiney Castle do shagairt eile ón gcomharsanacht. Ba bhreá le Pierce a bheith ina óstach ar na hócáidí seo, bhí ainm na féile air, an-tuiscint aige ar bhia agus deoch, é ina threoraí glic ar chomhrá is ba mhór an mhaise ar an gcomhluadar a chuid scéalta. Ach i gcás Seán Herlihy ba fhoirm ealaíne í an comhrá boird nár spéis leis a thuilleadh, is ní lú ná mar a ghlacfadh sé leis mar anlann cultúrtha le príomhchúrsa bia. Is éard a thuig sé le comhrá, ná seans chun na mothúcháin a chur in iúl d'aigne bháúil. Faraor ní raibh aon aigne bháúil fágtha ar an bpláinéad a thuilleadh. I reilig na nGael sa Róimh bhí Joe Markey curtha agus comhréir na Laidine ar a fheartlaoi chomh folamh leis an uaimh ina chroí. Ansin chuimhnigh sé ar a chóip de 'Bhunreacht na hÉireann.' Cá raibh sé?

'Seans gur fhágais thuas sa scoil é, gheobhadsa duit amárach é,' arsa Pierce. Ghlac Seán leis sin is d'fhéach sé ar aghaidheanna círíneacha an chomhluadair. Bhí sé in éad leis an sásamh a bhí á bhaint acu as lachain agus Nuits St. Georges. Bhraith sé go mb'fhearr de dhuine é féin ná iad agus ba pheaca san uabhar é sin. Thuig sé nach raibh sa suirí a dheineadar le léann is le cultúr i Maigh

Nuad dóibh ach dualgas gearrthéarmach a chaitheadar uathu ag droichead na Life ag Léim an Bhradáin ar a mbealach go dtí an Ardchathair. B'eagal leis go raibh aithne rómhaith aige orthu agus go raibh fírinne éigin sa nath – 'deireadh cairdis, lánaithne.' Óna thaobh féin den scéal thuig sé go raibh a chaidreamh le hardseanchas agus gaois an chine dhaonna tar éis é a thabhairt an-chóngarach do bhruach an fheasa. Ach bhí rud éigin sa tslí air. Bhí curtha roimhe aige an rud sin a aimsiú agus é a scrios.

Tar éis an dinnéir bhailíodar leo go hÓstán an Killiney Court mar a raibh dream eile gafa i gcúrsaí reifrinn – fir ghnó shaibhre, lucht ollscoile agus an té ab airde cleite in Opus Dei an cheantair. Bhí an cruinniú thart agus dordán cadrála ar siúl ag miondreamanna. Bhí cuid díobh ag rá go n-éireodh leo go seoigh sa leasú, cuid eile acu ag rá go mbuafaí siúráilte orthu san Ardchathair, mar go raibh casadh i gcoinne an 'Pro-Life Campaign' le braistint ar lucht gustail. 'Ach is cathair bhocht í Baile Átha Cliath,' arsa fear Opus Dei agus miongháire ar a bhéal.

D'éirigh Colm Ó Néill ó Dhún Laoghaire. Chroith sé páipéar os cionn an tslua. Sticéir ghluaisteán a bhí le feiceáil ar fud na cathrach – 'mar a chéile leasú is aoileach' a bhí scríofa air as Gaeilge. Ar thuigeadar an Ghaeilge? D'aistrigh sé dóibh é gan fiacail a chur ann. Chuir sé idir leamhgháire is déistin orthu. Lean Colm air, chualadar an rud a dúirt Dukes inniu, cá bhfios cad a déarfadh Mac Gearailt amárach? Agus eite amháin d'Fhianna Fáil ag braiteoireacht. Fiú amháin na dochtúirí nár oscail a mbéal riamh bhíodar anois ag éirí 'trendy' – na cladhairí meata.

D'fhreagair Seán Herlihy é agus dúirt gurbh é an namhaid ba mhó a bhí acu ná an meon diúltach. Gurbh í an diúltacht a dhein scaipeadh ar mhaitheas Chill

Chainnigh fadó, ar Chath Chionn tSáile, ar Eachdhruim, Bheannborb, an Bhóinn agus Chath an Átha Bhuí. Ba é an saghas daoine iad na Gaeil ná go scríobhfaidís an caoineadh sara gcuirfidís an cath. Taobh amuigh de sin níor thuig an slua seo muintir na hÉireann, go mór mór muintir na tuaithe. 'Is cuma le muintir na tuaithe faoin leasú seo agus toisc gur cuma leo rachaidh siad leis an Eaglais.' Bheadh an bua glan acu, ní bheadh aon ghinmhilleadh go deo in Éirinn, bheadh sin scríofa sa bhunreacht is chuirfí an Bunreacht ar foluain go hard i dteannta bhratacha Lepanto.

Ghéill gach éinne dó. Bhuail fear Opus Dei a lámh ar a ghualainn, dúirt duine eile 'mo ghraidhin thú' is b'eo Pierce faoina dhéin agus gloine branda aige dó. 'Seo, bíodh deoch agat,' ar seisean, 'dhein tú botún beag amháin. Bhuamar Cath an Átha Bhuí! Seo ólaimís sláinte an Átha.' Ach ní ghlacfadh Seán leis mar le déanaí chuireadh an deoch duairceas air. Agus bhí an Redbreast fós i gcófra an chúinne sa bhaile. Dá dtosófaí anois cá stopfaí? Thuig sé, leis, go raibh sé éirithe rórighin ina aigne agus go raibh sé éirithe torrach den dea-shaol. Taom manachúil a bhí air agus nuair a bheadh sin curtha de aige agus an cath buaite rachadh sé i measc daoine arís.

D'fhág sé slán ag a chairde is thug sé aghaidh ar an mbaile. Dá dtógfadh sé an cóngar bheadh air gabháil trí choill Chill Iníon Léinín ach bhí sé dorcha is b'uaigneach an áit istoíche é. Ba mhinic a threoraigh Pierce Madden é ar fud an chnoic mar staraí áitiúil ba ea é. Thaispeáin sé dó na galláin, Cathaoir an Draoi, sean-altóirí págánacha, reiligí agus seaniarsmaí nach iad. Ba bheag a spéis i bpiseoga mar bhíodar sin ruaigthe go deo ag an traenáil a fuair sé mar shagart. Mar sin féin tógadh faoin tuath é agus chaith geimhreadh fada na hóige scáth fada ar an bhfear. Bhí cuid bheag dá anam fós faoi smacht ag cumhacht na heagla agus an oilc. B'fhéidir go raibh sé in am í a dhíbirt. Thug sé aghaidh ar an gcoill.

Bhí tosaithe ag an bhfómhar ar fhothain an tsamhraidh a bhaint anuas cheana féin agus dhein a bhróga glór seisir trí na duilleoga. Tháinig sé ar ball go dtí an ciorcal cloch a bhí ar thaobh an chnoic agus a thaispeáin Pierce dó le gairid. Bhí sé tar éis a rá leis go raibh teir ar fhearaibh dul isteach ann istoíche.

'An rachfása isteach?' ar seisean le Pierce.

'Ní rachainn, ná dein nós is ná bris nós.'

Bhí sé tar éis díomá a chur ar Sheán. Ach anois níor bhraith sé aon laochas mór ann féin. Stop sé is d'fhéach sé síos ar na clocha. Ansin, i gcoinne a thola nach mór, bhraith sé é féin ag druidim le fána síos gur stop sé ag an ngallán ba mhó ar imeall an chiorcail. Bhris solas na gealaí amach as loch i measc na scamall is shín scáthanna na gcloch. Bhraith sé aiteas ar chnámh a dhroma. Dúshlán ba ea an ghealach.

Thuig sé. Anois, beart de réir a smaointe nó bheadh masmas air amárach. Shiúil sé isteach sa chiorcal. Bhí eagla is doircheacht a óige díbeartha go deo. Níor bhraith sé anois ach misneach, dóthain misnigh dó féin, is fuílleach spártha a dhéanfadh gnó deichniúir.

D'iompaigh sé ar a sháil is ghluais go mórtasach tríd an gcoill. Ní fada a bhí sé ag siúl gur thug sé teach faoi deara agus soilse ar lasadh ann istigh i lár na coille. Níor cheart aon fhoirgneamh a bheith anseo. D'fhéach sé ina thimpeall chun comharthaí a thógáil ach bhí sé ródhorcha. Ní fhéadfadh sé a bheith dulta amú. Dhruid sé suas chomh fada leis an doras. Bhí idir scáth agus fiosracht ag brú ar a chéile ann. Bhí fógra néata in aice an dorais: *The Killiney Queen, open to non-residents.*

Níor chuala sé trácht thar an áit riamh. D'imigh sé na céimeanna suas agus an doras isteach. Laistigh den doras bhí beár agus halla le chéile. An áit ar fad tógtha le tuiscint, leaca cairéil, crua-adhmad snasta, ráillí práis, marmar agus scátháin mhóra. 'Amhail is gur mé féin a thóg é,' ar seisean.

'Bhfuil tú ag caint liomsa?' arsa guth mná a bhí lán de chluain is de ghreann. Chas sé, féachaint an mbeadh an aghaidh dá réir. Chonaic sé bean óg ar scáth dhoras an halla. D'fhéach sé go géar uirthi mar thabharfadh sé an leabhar gur aithin sé í. Ansin ghluais sí go grástúil faoina dhéin. 'Tá sé seo dochreidte,' ar seisean, 'níl aon oidhre ort ach Audrey Hepburn.' Stop sí os a chomhair, na súile móra donna ag líonadh le taitneamh. 'An moladh é sin?' ar sise ag fliuchadh a liopaí. 'Is ea gan amhras,' arsa Seán, 'ba í ab ansa liom i gcónaí sna scannáin.' B'ionadh leis go raibh sé chomh clóchaiseach i dteannta na mná seo ach ba chuma leis. 'Is sagart mé ach bíonn a leannán rúnda sna scannáin ag gach sagart. Tá cara liom atá an-tógtha le hUrsula Andress.'

'Cén saghas í sin?'

D'fhéach sé síos uirthi is chuir an fhéachaint a súile ag faiteadh. Thaitin sin leis. Lean sé ag féachaint uirthi. Las sí beagán ansin, d'fhéach sí síos ar an talamh, ansin suas arís, chuimil a lámh dá gruaig is dhein miongháire. Geáitsí beaga a sceith ar anam cúthail. Mar sin ab fhearr leis iad. Agus na súile – d'fhágadar folús ina scairt istigh. Ach bhraith sé ar a shuaimhneas léi murab ionann is Ursula Andress.

'Sé an saghas í Ursula Andress ná... ná ainmhí mná. Tá

sí ró... ródhathúil ... róghnéasach – an dtuigeann tú mé?'
Chroith sí a ceann. 'Sea, sea, lean ort,' ar sise.
'Ní fhéadfadh éinne bean mar sin a shásamh. Dá dtabharfaí isteach i gcomhluadar í bheadh bruíon ann. Sé a bheadh uaithi sin ná dornálaí nó *weight-lifter*.'
'Nílimse mar sin,' ar sise de chogar.
'Ó, tá's agam, níl in aon chor,' arsa Seán.
Chuimhnigh sé ina aigne ar Audrey Hepburn ghleoite, Audrey aonraic, leochaileach, spleách, álainn nach bhféadfadh deoch a ordú di féin, doras a oscailt, Audrey a bhí riamh i dtrioblóid. Thuig sé dá mbeadh sé pósta ar Audrey go mbeadh air na prátaí a scamhadh di. Go tobann bhíog sé as a thaibhreamh. Bhraith sé go raibh an iomarca dá chroí ligthe le strainséir aige.
'Conas a fuair sibh cead pleanála don áit seo?'
Bhain an cheist stangadh aisti agus bhí aiféala air go raibh sé chomh tútach sin léi. D'inis sí dó go faiteach, briotach nach raibh sí ach ag obair ann agus ná feadair sí faic.
Lig Seán cnead as agus d'inis sé di gur bhain sé taitneamh as an gcuairt ach ós rud é nach raibh sé ach ag gabháil thart bheadh air dul abhaile. Chas sé uaithi is ba bheag nár sméid sé uirthi. Thug sé an díomá faoi deara ach shiúil sé go dtí an doras. Agus a lámh ar an doras aige chuala sé an guth lán de chluain arís. 'Ná himigh go fóill, led thoil.'
Chas sé timpeall. Bhí sí ansin i lár an halla, cúinne a blúis á fháscadh ina lámh aici, céasadh ar a súile. Chuir sin ola faoin bhfear ann. Shiúil sé ar ais. D'inis sí dó, agus cluain, faitíos agus taitneamh measctha le chéile ar a guth, go raibh sí ina haonar san óstán agus go raibh uaigneas uirthi. An mbeadh deoch aige sula n-imeodh sé. Ní bheadh.

Ba mhaith léi deoch a thabhairt dó mar nár líon sí ceann riamh. Bheadh deoch aige.

Las na súile arís, thug an aghaidh taitneamh is a corp ag craoladh bá. Bhraith Seán a hanamúlacht is shúigh a chroí tirim searbh isteach é. Bhí coscairt bliana ar siúl istigh ann. Tháinig sí chuige is rug ar uillinn air is sheol suas chun na tine é. Chuir a lámh rití suilt ag imeacht ar fud a choirp. Chuir sí ina shuí ar chathaoir é. Bhuail sí a lámh ar chúl a chinn chun adhairt a chur laistiar de, rud a chuir ladhair a choise ag síneadh is ag crapadh. Ansin idir teas na tine is clingireacht gloiní an bheáir mheas sé go raibh sé tagtha abhaile i gceart. Tháinig sí i leith agus thug gloine mhór branda dó. Thabharfadh sé an leabhar gurbh é an gúna céanna a chaith Audrey Hepburn sa *Big Country* a bhí ar an gcailín seo anois.

'An dtéann tú chuig na scannáin?'

Ní théadh. Ní raibh aithne aici ar éinne. Dílleachta ba ea í. Macha a hainm. Bhí sí faoi láthair gan chara gan chompánach sa saol seo. Agus cad as di? Scéal eile ba ea é sin a d'inseodh sí ar ball. Bheadh an t-óstán ag oscailt i gceann cúpla lá. Dúirt sé go raibh cnoc Chill Iníon Léinín dainséarach istoíche. Bhí sí suite an-chóngarach dó is chuir sí cogar ina chluais ag rá nach bhféadfadh sí codladh istoíche leis an eagla agus glór na gaoithe trí na crainn. Chuir a hanáil the i bpoll a chluaise creathanna gliondair in íochtar a bhoilg. D'fhéach sé ar ghúna an *Big Country* agus imlíne a ceathrúna ag brú amach tríd. Ach níorbh aon Gregory Peck eisean.

Bhí sí suite ní b'ísle ná é agus d'fhéach sí suas air. 'Níl aon chuma shagairt ort, agus tá cuma an-óg ort.'

'Táim daichead,' ar seisean. De dhualgas.

'Ní cheapfainn sin go deo,' ar sise, 'agus gan ribe liath ar do cheann agat,' agus rith sí a méara trína chuid gruaige. Bhraith Seán Herlihy coimhlint istigh idir a aigne agus a chroí: beidh-ní bheidh-tá-níl-sea-ní hea-anois nó choíche.

'B'fhéidir go bhfuil sé in am agam dul abhaile.'

'Sea,' ar sise, 'ba dheas uait fanacht ach tabhair síos an pasáiste fada mé go dtí mo sheomra. Is uaigneach an áit é.'

Bhí sé ar bhruach na haille. 'Agus dún doras an tí agus tú ag dul amach.

Thoiligh sé, mar sagart ba ea é agus é sáite i ngnó na cabhrach. Shiúladar síos go dtí a seomra.

'Tar isteach nóiméad,' ar sise.

Bhí sé istigh sula raibh aga aige diúltú. Ní fhaca sé ach braillíní dubha a raibh imeall craorag orthu, dathanna a chonaic sé ar bhrístín a chol ceathair fadó agus a d'fhan greamaithe ina aigne ó shin mar shiombail chollaíochta. Ach ní raibh aon ghá aige le siombailí a thuilleadh mar bhí an fíor-rud ina steillebheatha ina ghabháil aige agus an seandúchas faoi réim.

Ba é an chéad rud a thug sé faoi deara nuair a dhúisigh sé ar maidin ná glór na dtonn ar an trá. Ba shásúil an rud é. An dara rud na braillíní. Tríocha soicind glan ina dhiaidh sin bhí sé ag teitheadh anuas chnoc Chill Iníon Léinín. Níor stop sé den rith gur bhain Teach an tSagairt amach i Scailp na Cille. Agus é ag rásaíocht suas an staighre, d'fhiafraigh Kitty, bean a' tí, de cá raibh sé. 'Nithe faoi chaibidil ag an Seanad Fairche,' ar seisean de ghlaoch síos uirthi. Shásódh raiméis mar sin í. Chaith sé é féin ar a leaba is dhein sé iarracht ar rás buille a aigne a réiteach. Ach ba dheacair gan cuimhneamh ar Mhacha.

Coicís ina dhiaidh sin agus Seán ag léamh an aifrinn tháinig fonn urlacain air agus b'éigean dó teitheadh ón altóir. Bhí sé breoite istigh sa sacraistí. Ansin b'éigean dó luí síos le barr tuirse. Bhí Séamas Hand, cléireach an pharóiste, go giodamach ag fústráil timpeall air.

'Abair leo dul abhaile, ní féidir liom é a chríochnú.'

D'éist sé le Séamas amuigh ar an altóir ag déanamh paidir chapaill den scéal. Mheas Seán nach stopfadh sé go deo. Nuair a tháinig sé ar ais dúirt Seán leis: 'Ní gá duit oráid pholaitiúil a thabhairt.'

Shuigh Séamas síos in aice leis. 'A Athair, an bhfuil tusa ar an bpóit arís?'

Ba bheag nár thacht Seán é féin.

'Leithscéal, a Athair, feicim gur fíorbhreoiteacht atá ort – dáiríre píre.'

Ní raibh i Seán ach scáil i mbuidéal. Ní dúirt sé le Séamas ach 'A Íosa Críost.'

Lean sé den stáir sin gach maidin go ceann seachtaine. Ní raibh aon amhras ar Shéamas Hand a thuilleadh.

'Ba cheart duit dul go dtí an dochtúir, a Athair.'

Seachtain ina dhiaidh sin bhuail sé isteach go Joe Cribbin an G.P.

'Breoite gach maidin, an ea?'

'Is ea.'

'Tuirse ort i gcónaí. Cén t-aos arís thú?'

'Daichead.'

'Duairceas istoíche is sa ló?'

'Abair é!'

'Is ba mhaith leat a bheith bríomhar arís?'

'Ba mhaith,' agus gol air beagnach.

'An-bholg ort.'

'Im' mhuc.'

'*Menopause* fireann.'

'Fastaím, ní thagann sé ar fhearaibh.'

'Nuair a fhaigheann na mná é cuireann sé le gealaigh

iad, nuair a fhaigheann fir é cuireann siad gach éinne eile le gealaigh.'

'Cad a dhéanfad?'

Thug sé oideas dó. Ní fhéadfadh sé faic a dhéanamh don aois a bhí air. 'Téigh ag *jog*áil istoíche agus cuir Kitty suas chugam.' Agus Seán ag imeacht ón íoclann scairt an dochtúir ina dhiaidh.

'Murab é an *menopause* é tá tú ag iompar clainne' agus lean a gháire é go dtí an gluaisteán.

Cheannaigh sé *tracksuit* agus shocraigh dul ag rith ar chnoc Chill Iníon Léinín. Ceithre lá as a chéile chuir sé tuairisc an 'Killiney Queen' agus chuardaigh sé ó Chathaoir an Draoi go Caisleán an Chnoic os cionn Dheilginis. Ach chuaigh de. Ní raibh san áit ar cheart dó a bheith ach fraoch, clocha agus driseoga. 'An bhfuil aon eolas agat faoin Killiney Queen, a Kitty?' ar seisean lá.

'Tá aithne mhaith agam air, an ruidín salach. Lasmuigh de phub an Bhrúnaigh a bhíonn sé de ghnáth.'

'Déan dearmad air. An bhfuil aon subh sméar dubh sa teach?'

'Níl.'

'Aon seans go dtógfá an gluaisteán agus cuardach a dhéanamh thart dó? Tá mo theanga amuigh le dúil i spúnóg de.'

Thóg sí na heochracha agus d'imigh. Níor chuir aon rud ionadh ar Kitty.

An oíche sin thug sé cuairt ar Phierce. 'An Killiney Queen? Níl a leithéid d'óstán ann. Heights, Castle, Court, ach níl aon Queen ann.'

'Fadó riamh?'

'Ní raibh go bhfios dom. Tá droch-chuma ort, ba cheart duit dul go dtí an dochtúir. An bhfuil tú cinnte nach mbeidh deoch agat? Ag féachaint ort déarfainn go bhfuil gá agat le ceann. Is ea, ní raibh riamh Killiney Queen ann – ach Macha ar ndóigh.'

Phreab Seán ina sheasamh, sneachta ag titim ar a chroí.

'Céard é seo faoi Mhacha?'

Shocraigh Pierce é féin isteach ina chathaoir agus líon sé amach deoch eile dó féin. 'Fear darbh ainm Léinín, sa séú haois, cúigear iníonacha aige, Duigean, Euigen, Luicill, Riomthach agus Macha – 6 Márta a bhféile. Thógadar an Cillín thíos, tugtar Cill Iníon Léinin air ó shin. Deirtear go raibh Macha an-álainn agus thugtaí an bhanríon uirthi. Ise an t-éarlamh ar an marbhghin agus páistí gan bhaisteadh.'

'N'fheadar an mbeadh aon dealramh aici le hAudrey Hepburn'

Phléasc Pierce amach ag gáire. Bhí áthas air go raibh beirthe arís aige ar a acmhainn grinn. D'fhiafraigh Seán de cén fáth a raibh teir ar fhearaibh istoíche sa chiorcal cloch. Cillíneach ba ea é, dar le Pierce, is é sin reilig ina gcuirtí an mharbhghin is an leanbh gan bhaisteadh. Agus an raibh a fhios aige an pionós dá mbrisfí an teir? B'in rud ná feadair Pierce. D'fhan Seán ina sheasamh i lár an tseomra ar feadh i bhfad.

'Ceist amháin eile agam ort, an gcreideann tú sa draíocht?'

Chaith Pierce tamall fada ag déanamh blaisínteachta ar an gceist. Sa deireadh labhair sé.

'Má tá Dia ann tá draíocht ann.'

Bhuail Seán an cloigín os cionn na leapa, rud nár dhein sé riamh cheana. Tháinig Kitty isteach.

'Bhfuil péitseoga sa teach againn?'

'Níl. Níor ithis an subh sméar dubh fós. An mbeidh spúnóg de anois agat? Tá sé 2.45 a.m.'

'Ní bheidh, caithfead péitseoga a bheith agam. Táim marbh le dúil iontu. Táim rólag chun éirí. Tóg an gluaisteán agus faigh síopa déanach éigin.'

Chuaigh Seán i raimhre, i dtuirse agus i nduairceas. Maidin amháin bhí sé ag bearradh nuair a bhuail rud éigin sa bholg é. Ansin bhuail arís. 'Go sábhála Críost na Croise mé, a Kitty, tar aníos go tapa chugam.' Tháinig sí de ruathar isteach sa seomra folctha.

'I láthair Dé, táim sceimhlithe im bheatha,' ar seisean, 'tá rud éigin ag bogadh im bholg.'

Chuir sí ina shuí ar thaobh an fholcadáin é agus bhraith sí a bholg lena lámh.

'Téigh ar do lámha is do ghlúine anois.'

Bhraith sí arís é.

'Tóg t'anáil anois is ná scaoil léi go fóill.'

Dhein sé sin.

'Tá go maith,' ar sise, 'is féidir leat éirí anois.'

Bhí sí ag féachaint go míchéatach ar a bholg.

'In ainm Dé cad tá cearr liom?' ar seisean de gheoin.

'Níl ann ach an leanbh.'

Ar feadh i bhfad stán sé uirthi, go dtí gur thit sé mar a thitfeadh crann. Rug sí in am air is ba bheag nár tharraing sí fan an urláir é go dtí a leaba. Nuair a bhí sé socraithe isteach sa leaba chrom sé ar a bheith ag liúireach. 'Is fear mé, conas a bheadh leanbh agam?'

Bhí Kitty ag fústráil ar fud an tseomra.

'Féach,' ar sise, 'ba bhean chabhrach mé tráth. Dheineas an jab do leath an pharóiste agus sin an liúireach chéanna a dheinidís go léir – conas a fhéadfadh leanbh a bheith agam? Déarfainn ón luí atá aige gur cailín atá agat.'

'Is sagart mé, is fear mé, ní fhéadfainn a bheith torrach, gráim Dia, ní dhéanfadh Sé é seo dom.'

Ansin stop sé.

'Más leanbh atá ann conas a thógfaimid amach é?'

Bhí cráiteacht an fhir dhaortha air.

'Fadhb bheag í sin.' Chroch sí suas a fhallaing sheomra. 'Is é atá ag déanamh tinnis dom ná conas a chuaigh sé isteach. Bhís id chodladh nuair a thugas abhaile na péitseoga chugat. An mbeidh siad agat anois?'

'Ní bheidh, ach sín chugam an Redbreast agus go tapaidh.'

'Deamhan pioc a bhfaighir, deoch, piollaí, aspró ná tobac; ní dhéanfaidís maitheas don leanbh.'

Go tobann d'éirigh sé aniar. 'A Kitty, ní inseofá é seo d'éinne, ní inseofá don Dr. Joe é?'

'Ní dhéanfainn. Is fear é siúd pé scéal é.'

'Nó an tAthair Pierce? Lomadh an Luain orm má chloiseann an tEaspag faoi seo, bheadh mo cheap déanta. A Kitty, táimse saibhir. Tá talamh agam féin faoi rún sa deisceart. Déanfad saibhir thú.'

D'fhan an tAthair Seán sa leaba, ní ghlacfadh sé le cuairteoirí. Chuaigh an scéal amach go raibh sé ag fáil bháis. Bhí Kitty an-ghnóthach ag coimeád na ndaoine ó dhoras. Gach re uair an chloig b'éigean di dul agus scrúdú a chur ar Sheán chun deimhin a dhéanamh de nach aer, nó rud éigin a d'ith sé a bhí air. Nuair a deireadh sí gur leanbh a bhí aige thosaíodh sé ag tuargaint na bpilliúr. Ansin síos an staighre léi chun an doras a fhreagairt agus í ag gearán go raibh beirt leanaí idir lámha aici.

Dhein an scéin go léir buachaill óg de Sheán – thosaigh sé ag margaíocht le Dia.

'Cad a dheineas as an tslí? Más é an leasú agus an reifreann bíodh an diabhal ag an reifreann.'

'Ceart go leor,' arsa Dia.

'Agus níl lachain, Nuits St. Georges ná deoch uaim. Níl paróiste uaim, cáil, naofacht ná bean uaim. Níl uaim ach a bheith umhal, a bheith críonna.'

'Is costasaí an chríonnacht ná lachain.'

'Cén fáth ar thugais leanbh dom? Bhíos i gcónaí go maith.'

'Ní raibh aon bhaint agam leis. Cuirtear gach aon mhilleán ormsa. Slán go fóill,' arsa Dia.

Bhí ar Kitty gach imleabhar eolaíochta agus leighis sa teach a thabhairt suas staighre chuige. Chaith sé seachtain ag déanamh staidéir ar chóras na mball giniúna. Pluiméir buile a chuir bean le chéile an chéad lá. Ón *vulva* suas go dtí na *fallopian tubes* ina chathair ghríobháin ó thosach go deireadh. Ghabh sé a bhuíochas le Dia go raibh sé ina fhear. Ansin de phreib chuimhnigh sé go raibh leanbh aige is scread sé. Tháinig Kitty chuige is scrúdaigh arís é.

'Tá gach aon ní i gceart. Bhfuil na h*apricots* uait?' ar sise.

Tháinig an tEaspag i dteannta Phierce. Chuir sé a lámh ar bholg Sheáin. 'An t-ae, ae na bhFrancach ón bpóit. Éiríonn sé an-mhór, chonac in Avignon é.'

Chroith Seán a cheann. 'Ní ólaim. Inis dó, a Phierce.'

'Braon ní thógann sé,' arsa Pierce.

'Braon in aon chor?' arsa an tEaspag. 'Tá sé sin go dona — fágann sé tú cráite, cancarach. Is é an craos chun bia é más ea.'

'Ní hea,' arsa Seán, 'is beag a ithim, fiú amháin subh sméar dubh, péitseoga nó *apricots* damanta.'

'Tá sin fíor,' arsa Pierce, 'tá sé manachúil ar fad.'

'Seans go bhfuil sé ag fáil bháis, más ea. Ar mhaith leat dul go St. Clements?'

'Níor mhaith in aon chor, go raibh maith agat,' arsa Seán d'éagaoin beagnach. Reilig do chorpáin ina mbeatha ba ea

Clements.

'Má tá an ola dhéanach uait cuirfead féin ort í. Is maith le sagairt áirithe ó easpag é.'

Tar éis tamaill labhair an tEaspag arís. 'Bain na dualgais eaglasta de.'

'Iad go léir?' arsa na sagairt in éineacht.

'Bhuel, abair pósadh is baisteadh.'

'A easpaig, a chroí, sin é an t-aon teacht isteach atá agam,' arsa Seán go truamhéileach.

'An té a bheathaíonn an fiolar beathaíonn sé freisin na gealbháin,' arsa a Thiarna, an tEaspag, agus é ar a bhealach amach.

Ba é cuairt an easpaig a chuir barr donais ar an scéal. Sceimhligh sé ina bheatha é is thug noda báis dó. Chaith sé amach as a aigne an dlí canónta is thóg sé isteach misneach an ainmhí theanntaithe agus mímhoráltacht an éadóchais. Thóg sé tacsaí go dtí na Liberties agus tar éis an-chuid fiosrúchán d'aimsigh sé teach i Rae na bProtastúnach in aice Shráid Loch Garman.

'Tá beagán cúraim agam leat,' ar seisean le seanbhean, 'bean a bhfuil gá aici leat.'

'Más é sin an saghas gnó é, beidh seans leat, tar éis ar deineadh don bhanaltra bhocht úd.'

Ba chuimhin leis go maith. Crochadh an créatúr.

'Tá an bhean seo saibhir.'

Bhí tost fada.

'An mór atá i gceist?'

'£3,000.'

'Tá's ag Dia go ndéanfaimís eilifint ar an airgead sin. Cuirfead fios ar Mhena.'

'Cé hí Mena?'

'Philomena. Tá cleasa aici. Bíodh do bhean anseo ag an

doras agat 7.00 p.m.'

Ar 7.00 p.m. bhí Seán ag an doras.

'Cá bhfuil an bhean?'

Ní raibh de mhisneach ag Seán an fhírinne a insint go fóill.

'Beidh sí anseo ar ball. Tá sí cúthail.' Bhí fuarallas ag briseadh amach tríd.

'Ba mhaith liom an áit a fheiceáil munar mhiste libh.'

Thugadar isteach sa seomra é. Bhí dabhach mhór i lár an urláir, folamh, is lena hais bhí soitheach mór leictreach agus uisce ag beiriú ann.

'Níl aon seomra folctha sna tithe seo, bíodh a fhios agat,' arsa an tseanbhean. Ar an mbord bhí buidéal C.D.C. gan oscailt. D'fhéach sé ón dabhach go dtí an *Cork Gin*. Bhí *Saturday Night and Sunday Morning* léite aige ach níor mheas sé riamh go mbéarfadh an scéal chomh dian sin air.

'Cuirfimid ina suí sa dabhach í agus an t-uisce chomh te ann is a sheasódh sí. B'fhéidir go mbogfadh an teas agus an *gin* í.'

'Cé mhéad den *gin* ?'

'Ó, an buidéal ar fad, mhuis'.'

Bhain sin freang as Seán. B'fhuath leis an boladh, fiú. D'fhéach sé síos ar an urlár a bhí lán de mhin sáibh.

'Cad chuige é sin?' ar seisean. D'fhéach an bheirt bhan ar a chéile.

'Inis dó, a Mhena, ' arsa an tseanbhean. Shiúil Mena go dtí an bord agus d'oscail sí bosca. 'Mura mbogann an teas nó an *gin* í caithfimid an leanbh a bhogadh leo seo,' agus thóg sí ina lámh uirlis a bhí cosúil le biorán fada cniotála ach é cam.

D'fhéach sé ón mbiorán go dtí an mhin sáibh agus gruaig chúl a chinn beagnach ina colgsheasamh. Chuir sé a lámh síos ina phóca agus leag sé amach dornán punt ar an mbord chucu.

'Ní bheidh sí chugaibh, d'athraigh sí a haigne.'

Ghlan sé leis as an áit.

Seachtain ina dhiaidh sin bhí Seán ag siúl na gcéanna cois Life. Bhí sé ag déanamh ar mheán oíche agus bhí cúlsráideanna na cathrach ar fad siúlta aige nach mór. Cén fáth a n-aimsíonn lucht duaircis na cúlsráideanna i gcónaí? Stop sé agus d'fhéach sé isteach sa Life. Bhí soilse na cathrach go doimhin san uisce. Bhí sé ar bhruach abhann ach thuig sé go raibh sé ar bhruach na síoraíochta, leis. D'fhéadfadh sé an ainnise go léir a stopadh láithreach, ní thógfadh sé ach nóiméad, agus é gan snámh. Bhí gaoth fhuar ón deisceart ag cur plucamais ar bharr an uisce. Shiúil sé go raibh barr a bhróg thar imeall an ché. Go tobann bhraith sé rud laistiar de is chas sé. Garda a bhí ann, seanduine.

Bheannaíodar dá chéile.

'Bhfuil tú chun léim isteach, a Athair?' arsa an Garda mar mhagadh. Bhí corrabhuais cheart ar Sheán, ach rith leithscéal go tapa leis.

'Ag lorg duine dem pharóiste atáim.'

'Bean?' arsa an Garda.

'Sea,' arsa Seán.

'Bhuel,' arsa an Garda, 'bean ar na céanna an taca seo den oíche, i dtrioblóid éigin atá sí. Mairnéalaigh nó ag iompar?'

'Ag iompar is baolach,' arsa Seán.

D'inis an Garda gur mó cailín óg, ag iompar linbh, a bhí tógtha amach as an Life aige le blianta anuas, iad ina lipíní marbha. Ach go rabhadar éirithe as sin anois, ní raibh i gceist anois ach cúpla lá i Sasana. Ba mhór an t-athrú a bhí tagtha ar an saol. Ansin d'imigh sé leis ar a ghnó, a choiscéimeanna á mbá i dtiús na hoíche.

Thóg sé an bád go Learpholl. Chaith sé tamall fada ag cuardach sular aimsigh sé an rud a bhí uaidh: clinic um ghinmhilleadh a bhí costasach ardnósach tamall fada soir ó Learpholl. Dhein sé coinne is shleamhnaigh sé isteach i gcomhair an agallaimh, é chomh maolchluasach le madra bradach. Bhí rian an tsaibhris ar gach orlach den seomra thar mar ba dhóigh leat d'ospidéal agus an dochtúir a scrúdaigh é proifisiúnta, cultúrtha dá réir. Níor spéis leis dá laghad é a bheith ina fhear mar faoi mar a dúirt sé ba mhinic lúb ar lár sa chód gineolaíochta. Ar ndóigh thuigfeadh sé go gcosnódh sé a dhá oiread an ghnáthruda. Thuig. Agus cé acu ab fhearr leis den dá rogha. An dá rogha? Bhí sleabhac ar a bhéal le ciapadh aigne. Sea, an leanbh a bhreith is í a chur ar altramas nó an obráid. Ní fhéadfadh sé an leanbh a bheith aige mar i gceann míosa bhí an *Chair of Media Studies* san Ollscoil le bronnadh air, nó bhí sé geallta dó nach mór.

'Is oth liom a rá,' arsa Seán, 'go gcaithfidh mé a iarraidh ort an leanbh a... a....'

'A mharú,' arsa an dochtúir.

'A ghinmhilleadh,' arsa Seán ag tachtadh na bhfocal.

'Is ea, is mór an compord atá i bhfocail.'

Thairgíodar *local anaesthetic* dó ach d'impigh sé orthu é a chur faoi shuan ar fad. Nuair a dhúisigh sé sa deireadh bhí scata dochtúirí ina thimpeall agus cótaí bána orthu.

"Bhfuil sé thart?' ar seisean.

'Tá,' ar siad.

'An bhfuil sé...'

'Marbh?' arsa duine.

'Ina bheatha?' arsa duine eile.

'Níl ina bheatha,' arsa duine díobh.

'Níl ina bheatha,' arsa Seán agus cnap ina scornach. Is é seo an chéad uair a chuimhnigh sé go raibh duine á iompar aige. Cad a bhí déanta aige?

'An raibh sé..... ' ar seisean.

'Tapa?' arsa duine eile.

'Ní hea,' arsa Seán. 'Cé acu buachaill nó cailín a bhí ann'?'

D'fhéachadar go léir air. Chuireadar líonrith air. Ansin ghlaoigh duine ar bhanaltra is tháinig sí chucu ag sá tralaí roimpi is stop taobh na leapa. Thóg sé sceit ar fad is chuir a cheann faoi na braillíní.

Ach ghlaodar air. Thóg sé a cheann go mall. Thóg sé a cheann go mall is d'fhéach. Ní raibh ar an tralaí ach a chóip de *Bhunreacht na hÉireann*. Bhí sé méadaithe dar leis.

'Is mairg a bheadh ina bhean', arsa Seán.

'In Éirinn,' arsa siad.

'Céard is brí leis seo?' arsa dochtúir acu agus a mhéar á bualadh ar na focail Ghaeilge, *Bunreacht na hÉireann*. D'fhéach Seán air ar feadh i bhfad.

'Níl aon bhrí a thuilleadh leis,' ar seisean.

Táir

An glór a dhein na casúir sa chairéal – bhí sé rud beag binn – mar a bheadh gloiní ag bualadh le chéile. Ach marmar a bhí ann, geal, glé don tsúil, fuar, trom don lámh. Agus cé gur ghabh na hardáin bhána suas cliathán an chnoic go breá sibhialta, ba é fiántas an tsléibhe a stop sa deireadh iad.

Scór fear i dtómas gach ardáin díobh, gach duine acu ag cur allais – go háirithe nuair a bheadh na trí faoi thríonna á dtarrac trasna go dtí na duganna acu. Stopaidís go minic is iad traochta is bhuailidís a n-ucht ar na bloic mhóra, anáil a n-anama ag baint an snas den mharmar fuar. Ach ní ligfí dóibh aon rómhoill a dhéanamh mar fear cruaidh ba ea an saoiste agus é de shíor ag rástáil ar na casáin scéiteála. Is é a dhéanadh deimhin dá ghnó, cloch a ghearradh as an sliabh, caoi a chur ar a chéimseata, is é a thabhairt go dtí na duganna gan aon chur isteach ar rithim na hoibre. Rud a chuireadh ag gearán go fuíoch iad.

'Táimid cortha des na trí faoi thríonna damanta seo. Fir sinn is ní beithígh.'

'Sea go díreach, capall atá uainn, ceann breá láidir.'

D'éist fear an chairéil leo is ghéill sé. Lá de na laethanta seo isteach ardán a trí é agus bléitheach de chapall dubh ar adhastar aige. Chuaigh iarann na gcrúb go doimhin sa sliabh is bhain as glór mar a bheadh clog ag bualadh i gcéin. Ghluais fear an chairéil trasna an ardáin is stad i lár baill is é ag baint mustair as an bhfís seo taobh leis. Bhí an ghrian ag glioscarnaigh ina súile agus í ag féachaint ar na hardáin bhána lastuas is laistíos di. Anseo is ansiúd leag na hoibrithe a gcasúir uathu is sall leo gur dheineadar slua beag timpeall orthu.

'Féach air sin d'uabhar!' arsa duine acu.

'Sin agat croí is anam!' arsa fear eile.

Srian de leathar dearg a bhí uirthi is bhain sí casadh as na cluasa is í ag féachaint ar na bloic marmair agus na fir taobh leo.

'Is breá an beithíoch í, bail ó Dhia uirthi,' a dúradar, agus dheineadar í a mholadh ó bharr na gcluas go rinn a heireabaill.

'Tá sí sé réise déag a déarfainn,' arsa duine eile.

'Ní gá dúinn a thuilleadh trí faoi thríonna a tharrac!' arsa siad go ríméadach agus sall leo chuici, a lámha ag slíocadh na maothán, is ag tástáil chumhacht iontach a huchta. Ní raibh aon taithí aici ar a leithéid sin de láimhseáil ach sheas sí an fód. Bhí duine de na hoibrithe, garsún dhá bhliain déag d'aois, agus pé ceann a thóg sé di, ní bheadh sé sásta gan tochas a chur i gclár a héadain is cogarnach a chur ina cluais. 'Go réidh, a stór,' ar sé, 'tabharfadsa aire dhuit!' Ós rud é go raibh a culaith uirthi cheanglaíodar í de cheann de na trí faoi thríonna. Thug sí léi é mar dhea is gur gabháil mhóna a bhí ann. Dhein sí mar an gcéanna leis an gceathair faoi cheathair. Agus an cúig faoi chúig. Agus feadh na faide bhí an garsún lena ceann is gach aon fhocal gríosaithe is molta as.

'A sé faoi sé anois,' arsa duine acu.

'Ní dhéanfaidh ná sé,' arsa an garsún, 'mar nach ndéanfadh aon chapall é.' Ach bhí fuar aige mar fonn diabhlaíochta a bhí orthu is b'éigean dó géilleadh. Cheanglaíodar den bhloc mór í agus thug sí faoi le hanam. Orlach ní bhogfadh sé. Dhein an garsún a muineál a shlíocadh is labhair sé go binn isteach ina cluais. 'Seo leat, a stór, tabhair dóibh é, orlach nó dhó, a chroí!'

Amhail is a bhí tuiscint aici ar fhocail an gharsúin thug sí tréaniarracht bhuile amháin faoin scéal is ba bheag nár bhris na slabhraí – ach bhog an bloc is sheanbhog sé! Thug sí beagnach chomh fada leis an duga é ach gur stop an garsún í is thug sé aghaidh ar na fir. 'Sin agaibh é, tá an cruthú ar a neart agaibh, ní tharraingeoidh sí a thuilleadh séanna!'

'Ní tusa fear an chapaill,' arsa siad.

'Tuigim an capall seo,' ar seisean.

Ach tharla go raibh fear an chapaill ar an láthair agus dúirt sé go raibh sé lánsásta ligint don gharsún bheith i bhfeighil an chapaill. As sin amach thagadh an garsún is an capall ag fáinne an lae agus thugaidís an lá ag obair le chéile. Chuireadh sé gach aon chóir uirthi agus dheineadh gach aon chúram di, sa chaoi nach obair a bhí ar siúl aige in aon chor ach banaltras. Agus is mór an sásamh a thugadh sé do na hoibrithe nuair a chloisidís na ceathair faoi cheathaireanna á stracadh fan na n-ardán aici.

Bhí an capall an-tugtha don arán agus ba bhreá leis an ngarsún é a thabhairt di. Ó am go chéile thugadh sé siúcra di dá mbeadh sé aige agus bhí sí chomh scamhaite sin chun an tsiúcra go leanadh sí ar an ndéirc é timpeall an chairéil go bhfaigheadh sí uaidh arís é. Is mór an sult a thugadh sé seo don gharsún mar go dtí sin níor lean beithíoch ná duine riamh é ag lorg aon rud air.

Lá amháin tháinig an t-úinéir isteach ag cur tuairisc an chapaill. 'An-bheithíoch go deo í sin,' arsa na hoibrithe, 'agus cá bhfuair tú in aon chor í?' Dúirt an t-úinéir go bhfuair sé in áit fhíor-ait í, gur cheannaigh sé i dTigh na nGealt í. Thit tost orthu go léir. Thugadar féachaint aisteach ar an úinéir, agus ansin ar an gcapall agus ansin d'fhéachadar uathu i gcéin ar na cnoic a d'fholaigh cnoic eile i gcéin.

Lá éigin a raibh cúig faoi chúig á tharrac ag an gcapall

bhris an slabhra leis an teannas agus lasc sé siar agus cad a dhéanfadh sé ar a shlí siar ach an siséal a shnapadh as lámh oibrí. Bhí ionadh ar an oibrí is bhailigh slua ina thimpeall. 'An bhfaca sibh é sin? An capall seo, ar mo leabhar gur shnap sí an uirlis as mo lámh!' D'fhéachadar ar an lámh agus ar an siséal. Ansin d'fhéachadar ar an gcapall arís agus chroitheadar a gceann. Thugadar go léir an chuid eile den lá ag faire amach don chapall is nuair a thagadh sí in aice leo is amhlaidh a d'fhágaidís an áit is dóthain slí a thabhairt di. Uair amháin nuair nár thug oibrí éigin faoi deara go raibh sí ina aice, scairt an chuid eile air 'tigh na ngealt' a sheachaint.

Lá de na laethanta d'éirigh leis an gcapall tríocha bloc mór, cúig faoi chúig gach ceann acu, a tharrac in aon *shift* amháin agus má dhein, seo leis an ngarsún timpeall an chairéil ag maíomh as a gaisce. Ach níor bhailigh aon slua ina timpeall, is focal molta níor dúradh. Ina ionad sin is amhlaidh a chuadar ar scáth an ardáin mhóir chun a ngearán a dhéanamh i gcogar. 'Tríocha! Ní fhéadfadh aon chapall é sin a dhéanamh.'

'Ní capall í, ach ainmhí de shórt éigin.'

'Is diabhal as tigh na ngealt í.'

Uaidh sin amach bhíodh na hoibrithe go léir ar a n-airdeall is iad ag faire ar gach cor a chuireadh sí aisti, a hucht cróga, an mhaig a chuireadh sí ar a cúl, agus an dea-thoil a thaispeáin sí do na fearaibh is d'imeachtaí uile an chairéil. Bhí seanleaid ina measc is labhair sé. 'Chonac tráth fear a bhí tar éis éalú amach as tigh na ngealt, gan chead, agus theip ar sheisear gardaí é a threascairt. Fuinneamh buile éigin a bhí ann faoi mar atá san ainmhí seo.'

'An ceart agat, buile, ainmhí buile.'

Ba nós leis an ngarsún an-aire a thabhairt don chapall mar dhea is gur cailín a bhí aige mar chúram. Dheineadh sé a moing a chíoradh is clúmh iomlán a brollaigh a chuimilt go dtí gur lonraigh sé sa ghréin. Fiú na crúba a shnasadh. Ní mór ná go rabhadar ag pógadh a chéile.

'Féach an clúmh ar an gcapall sin, an snas atá sí ag cur uaithi, níl sé nádúrtha!'

'Snas diabhalta as ifreann é.'

Thug sé siúcra di agus is í a bhí buíoch, mar lean sí ar fud na háite é ag lorg a thuilleadh. Dhein sí é a theanntú i gcúinne is ba bheag nár strac sí an póca dá chasóg. Ag gáire a bhí an garsún ach scairt na hoibrithe air, 'tabhair aire dhuit féin nó íosfaidh sí thú.'

D'fhás an t-eireaball an-fhada aici ach ní ghearrfadh an garsún é. Dar leis chuir an t-eireaball fada go mór leis an uaisleacht nádúrtha a bhí inti. Ach nuair a bhíodh na cuileanna á crá is amhlaidh a bhíodh an t-eireaball ag lascadh leis siar is aniar an t-am go léir agus gheobhadh éinne ag gabháil na slí ina haice flíp den eireaball san aghaidh. Agus b'in rud eile a chuir leis an olc a bhí ag teacht ar na hoibrithe chun an chapaill.

Bhí an lón á chaitheamh acu is iad ar scáth an ardáin mhóir. Seo leis an seanleaid arís. 'Is cuimhin liom, tráth, an capall buile bradach áirithe seo. Oíche amháin is sinn inár gcodladh cad a dhein an diabhal ach doras an tí a bhriseadh isteach orainn is chrom ar chuid mhaith den troscán a bhriseadh in éineacht; raid sé cúpla duine againn, fear amháin sa bholg, go dona, agus d'imigh an fear bocht seo leis amach agus gach béic as; mise á rá libh gur diabhal as íochtar ifrinn é an capall úd.'

Diaidh ar ndiaidh bhíodh gach drochní á chur i leith an chapaill acu: go mbíodh sí ag éalú istoíche ag déanamh dochair, geamhar is féar á mhilleadh aici, agus mar sin de. Thugaidís an lá ag faire uirthi, ag lorg na gcomharthaí – istoíche chloisidís na fuaimeanna úd amuigh is chuireadh sé ag cogarnaíl iad.

Oíche amháin i mboth a sé dhúisigh an glór amuigh iad – crúba capaill ag bualadh ardán éigin i bhfad thuas.

'Sin ardán a naoi. Cad a thug suas ansin í?' arsa duine acu. D'éirigh bualadh na gcrúb ní ba thomhaiste agus de réir mar a bhuail an t-iarann an chloch chuir sé an macalla ag léimrigh amach as gach poll sa chairéal. D'éisteadar is iarracht d'eagla orthu. Go tobann stop na crúba. Thosaíodar arís ach bhíodar difriúil an turas so.

'Sin ardán a seacht. Conas a dhein sí é sin?'

'Ní linn an capall,' arsa an garsún, 'tincéirí, a déarfainn.'

'Cinnte, siúráilte is í atá ann,' arsa fear acu.

'Tigh na ngealt, cad eile?'

'Ní hea,' arsa an garsún, 'tá ár gcapallna ina stábla, téanam is taispeánfad daoibh í.'

Ach labhair an saoiste go garbh. 'Níl éinne ag fágaint an tí an t-am seo den oíche, tá sé róbhaolach!'

An mhaidin dár gcionn thaispeáin an garsún an capall dóibh go léir, í go breá sásta ag ithe coirce ina stábla, agus an stábla fós faoi ghlas.

Chuaigh na fir ar scáth an ardáin láithreach mar nach rabhadar sásta lena raibh feicthe acu. 'Táimid i gcruachás anois murb ionann is riamh, an t-ainmhí seo, osclaíonn sí doirse,' arsa duine acu. Ach dar le cuid acu bhí sé seo ag brú rómhór ar an gcreidiúint go dtí gur thosaigh an seanleaid ag cuimhneamh siar. 'Chuala trácht ar chapall tráth go raibh oscailt an dorais aige, an diabhal bradach, théadh sé ag bradaíl ar fuaid an cheantair, agus mórán damáiste á dhéanamh aige sara bhfillfeadh sé abhaile agus an doras a dhúnadh ina dhiaidh.'

Dheineadar machnamh fada ar an méid seo go ndúirt duine acu 'más mar sin atá an scéal aici nílimid sábháilte a thuilleadh.'

Ó am go chéile ba nós leo roinnt bleaisteála a dhéanamh chun an chloch a bhogadh as ucht an chairéil. Níor chuimhnigh éinne acu conas mar a raghadh sé seo leis an gcapall go dtí an lá áirithe seo nuair a bhí an garsún is an capall sa chaol ar ardán a sé. Pléascadh an charraig lastuas díobh is láithreach thóg an capall sceit sa chaoi gur chuir sí ceann de na ceathair faoi cheathaireanna le haill, ceann a bhí críochnaithe gearrtha ag na saoir. Chuaigh gach éinne go himeall na faille agus d'fhéachadar uathu síos ar an mbloc a bhí tar éis smionagar a dhéanamh de bhloc eile nuair a thit sé anuas. D'fhág sin dhá bhloc curtha ó mhaith, millte ar fad ag an gcapall.

Bhailigh na fir go léir timpeall an chapaill is an gharsúin a bhí faoin am seo druidte le ciumhais na faille.

'Níor inis éinne dúinn mar gheall ar an mbleaisteáil,' arsa an garsún d'éamh agus fíoreagla air. Bhraith an capall eagla an gharsúin is chuir sé as go mór di, is luigh na cluasa siar ar dhá thaobh na moinge.

'An capall damanta seo, tá sí tar éis an *quota* a chur síos ar fad orainn, agus pá beag dá réir.'

'Ní fhéadfadh aon chapall an bhleaist a sheasamh, cuireann sé sceimhle uirthi.' I méid a bhí eagla an gharsúin ag dul mar bhraith sé olc aisteach ar na hoibrithe. Dhein an capall crúbáil ar an ardán is chuir iarracht de sheitreach aisti.

'Hé, féach súile an chapaill, táid chomh dearg le gríosach.'

'Gríosach ifrinn.'

'Droch-chomhartha é sin gur diabhal de shaghas éigin í.'

Faoin am seo bhí an capall deimhin d'olc na bhfear chuici. D'fhéach sí ar dheis is ar chlé ag lorg slí éalaithe. D'fhéach an garsún mar an gcéanna ach bhíodar timpeallaithe isteach acu. Ghabh an capall de chnaganna ar an gcloich fúithi.

'Faire! faire!' arsa duine acu, 'tá sí chun tabhairt fúinn.' Thógadar go léir coiscéim siar, ansin dhá choiscéim chun tosaigh arís. Ansin isteach leo a thuilleadh go dtí ná raibh orlach de shlí ag an gcapall. Thosaigh na fir ag gearán is ag cneadaigh os ard agus na mallachtaí ag teacht go flúirseach. Dhein an capall is an garsún iarracht ar éalú as an ngaiste ina rabhadar ach bhí fuar acu.

Ba é an casúr a dhein é. Ghluais sé tríd an aer gan glór ar bith gur bhuail sé glan i bpoll na cluaise í. Ní raibh slí aici chun an buille a thógaint agus chuir sin le haill í. Scread níor lig sí aisti gur bhuail sí urlár a cúig thíos ina pleist; ach bhí gach béic as an ngarsún. D'fhéach gach duine síos ar an láir, an duibhe ghlé sínte ar an marmar – dar leis an mbuachaill d'fhéach sí ní b'áille ná riamh.

Chroith sé a cheann ina dhá láimh agus lig cúpla geoin as. Ansin thóg sé a cheann is thug sé aghaidh ar na fir is labhair go binbeach leo. 'Beithíoch breá saonta ba ea í sin, ach diabhail as ifreann sibhse, deamhain bhuile as ifreann!'

'Hé,' arsa duine acu. 'Féach súile an gharsúin seo, táid chomh dearg le gríosach, dála an chapaill.'

'Síofra de shaghas éigin atá againn anseo.'

D'fhéachadar go léir ar feadh tamaill fhada air; 'sea,' dúradar d'aon ghuth agus thógadar go léir coiscéim i leith an gharsúin a bhí fós ag gol. D'fhéach sé suas orthu díreach agus na scáthanna ag titim air faoi mar bheadh spócaí rotha.